꿈꾸는 네 잎 클로버

다시, 행복

꿈꾸는 네 잎 클로버

다시, 행복

발　행 | 2024년 7월 25일
저　자 | 강진주, 권국환, 새파란, 김준환
도　움 | 작가 최상희
펴낸이 | 한건희
펴낸곳 | 주식회사 부크크
출판사등록 | 2014.07.15.(제2014-16호)
주　소 | 서울특별시 금천구 가산디지털1로 119 SK트윈타워 A동 305호
전　화 | 1670-8316
이메일 | info@bookk.co.kr

ISBN | 979-11-410-9668-7

www.bookk.co.kr
ⓒ 다시, 행복 2024

다시,

행복

강진추, 권국환, 새파란, 김준환 지음

CONTENT

첫 번째 클로버
작가 강진주

두 번째 클로버
작가 권국환

세 번째 클로버
작가 새파란

네 번째 클로버

작가 김준환

글을 마치며

꿈꾸는 당신은 아름답습니다 - 148
도움작가 최상희

솔향 깊은 우물 같은

노숙인들을 만난 지 올해로 꼭 25년이 되었습니다. 오랜 시간 동안 수천 명 이상의 노숙인들이 센터를 거쳐 가셨고, 수도 없이 많은 사연을 들었지만 이렇게 글로 적어 근사한 에세이집을 낸 건 올해가 처음입니다. 처음에는 노숙인들의 글이 꽤 거칠 것으로 생각했고, 첫 번째 책을 출간했을 때는 그저 문집을 만드는 정도라 생각했지만, 거친 인생을 살아온 이들의 글은 우물처럼 깊고 청량했고, 솔향 가득한 숲이었습니다.

읽히기 위한 글을 쓰기는 쉽지 않은 일입니다. 특히 마음 어딘가에 부유하는 생각과 추억들을 건져내어 흰 종이 위에 쓰는 것은 사막에서 물고기를 낚기 위해 낚싯대를 드리우는 것만큼 힘겨운 작업입니다. 그것이 자신이 살아온 삶의 파편들을 끄집어내는 것이라면 더 고통스러운 일이었을 것입니다. 그렇기에 글을 꺼내고

차곡차곡 백지에 담아낸 그 노고에 무한한 감사와 박수를 보냅니다.

　자신이 쓴 글을 스스로 읽을 때 참 부끄럽기도 하고 표현하기 어려운 간지러움이 느껴지기도 합니다. 그렇게 자신의 글로 인해 요동치는 마음의 파도는 '나'라는 존재의 실재를 마주 보게 합니다. 세상의 가장 언저리에서 있는 분들의 글쓰기는 그래서 더 소중합니다. 자활을 위한 목적으로 좋은 프로그램이라서 글을 쓰는 것이 아니라 세상 속에서 내 삶의 자리를 다시 생각하고 '나'를 단단히 하는 것이 글쓰기입니다.

　노숙을 경험한 분들의 요동치는 파도 속에서 건져 올린 거친 삶과 절망의 절뚝임을 담은 글에는 아린 슬픔이 아닌 칠흑같이 어두운 밤 먼 곳에서도 보이는 작은 촛불의 빛 같은 희망을 볼 수 있었습니다. 이 글이 아픔이 시작되거나 꺾여짐을 당한 누군가에게도 희망의 촛불이 되었으면 합니다.

두 번째 출간되는 에세이집이 앞으로도 지속하였으면 하고 바라며, 글을 지도해주신 최상희선생님과 글쓰기를 독려하고 출간을 위해 노력한 모든 실무자께 감사드립니다. 그리고 포기하지 않고 맑은 필력으로 글을 써주신 강진주님, 권국환님, 새파란님, 김준환님께 마음을 다해 감사 인사드립니다.

대전광역시노숙인종합지원센터
센터장 김의곤

희망의 길잡이

『다시, 행복』은 네 명의 용기 있는 노숙인들이 엮어 낸 진솔한 에세이 모음집입니다.

이 책은 네 명의 저자가 직접 겪은 이야기를 통해 우리 사회의 가장 가려진 목소리인 노숙인들의 삶과 감정을 솔직하게 담고 있습니다. 그들의 경험과 감정은 독자의 마음을 깊이 울리며, 새로운 시각을 여는 계기가 됩니다.

각 에세이는 진정성과 감동을 담아 독자에게 많은 생각을 하게 하고, 노숙인들이 현실 속에서도 희망과 용기를 잃지 않고 살아가는 강한 생존자들임을 발견할 것입니다.

이 책은 단순한 삶의 증언을 넘어 우리에게 용기와 희망의 메시지를 전달하며, 그들의 이야기는 우리의 마음을 움직이고 더 나은 사회를 이루기 위한 길잡이가 될 것입니다.

『다시, 행복』이 많은 이들에게 희망과 용기의 메시지를 전달하길 진심을 바랍니다.

대전광역시노숙인종합지원센터
사무국장 김태연

추천의 글 3

모두의 해피엔딩

推薦
「마음의 창」
똑!똑!똑! 우리 사회복지사의 눈앞에 나타나 주신 이분들을 바라보며, 기다리며,,,, 시간을 보냅니다. 하염없이,,, 한결같이...

그러다 보면
어느 날 마음 안 빗장을 열어 주시는 날에 우리는 아는 사이가 됩니다. 일하는 복지사에게 기쁨과 감사가 되는 만남 축복. 오히려 우리게 힘이 되는 반가운 인사.

이분들은 아실까요? 우리 주제로는 이렇게 멋진 인생을 찾아 만날 수 없는데, 찾아와주신 것에 대해 우리가 얼마나 고마워하는지...

이분들은 느끼실까요? 우리에게 고백해주신 과거가 드라마의 주인공의 것이어서, 모두를 살리는 해피엔딩의 결말이 되는 것을...

혹시라도 깨닫지 못했었던 사실이라면, 이미 그 주인공이시라는 것을 말씀드리고 싶습니다.

「나의 존재감?」, 「과거는 후회! 미래는 희망!」의 주인공을 알고 있습니다.
영원한 그 작품을 만들어 놓으시고, 당당하게, 묵묵히, 미래를 쓰고 계시는 두 분을 듣고 보며, 복지사 아줌마는 계속 행복했습니다. 그 후 두 번째 작품에 도전하신다는 소식을 듣고, 더 흥분되고 기대가 되었습니다.
다시 시작한 주인공께 빗장을 열고, 세상에 나를 얘기할 수 있는 용기를 내주신 것. 그 용기를 느끼게 해 주신 것에 대한 무한한 감동과 희열을 갖습니다. 그리하여 널리 전파하여야 할 충분한 이유가 있기에 여기에 담긴 인생 스토리가 너무도 소중합니다.

추신 : Home을 만들고, 나를 회복하는 조건에 최고 적절한 분을 과거와 세상과 미래에 한 아줌마복지사로서 이 멋진 분을 제 이웃 아들로, 오빠로, 아저씨로 소개하는 영광을 누리게 해 주셔서 감사합니다.

파랑새둥지
실장 강자애

네 남자

이 책이 세상에 나오기까지 한 달 남짓한 시간을 채찍질하며 달려온 네 남자가 있습니다.

가까이서 글을 써내는 것을 바라보면서 떠올리기조차 힘든 과거를 정면으로 마주해내는 엄청난 용기에 매번 큰 박수를 보냈습니다.

글을 쓰는 동안 위기상황을 겪으며 힘든 시간을 감내하느라 묻어두었던 과거를 살며시 들춰볼 수 있었습니다. 후회되는 일들과 소중하고 행복했던 소소한 일들, 미안한 사람들과 고마웠던 사람들을 하나둘씩 기억해내고 그 기억들을 공유하는 과정에서 마음속 깊이 묻어두었던 아픔과 슬픔을 꺼내 보이면서 부끄러워했던 순간도 가슴 아파했던 순간도 있었습니다. 그럼에도 그 모든 것을 이겨내면서 정말 열심히도 달렸던 결과물이 『다시 행복』이라는 책입니다.

사회복지공동모금회의 후원을 통해 '마음의 창' 프로그램을 진행하면서 어떠한 결과물이 나올지 반은 기대되고, 반은 걱정되었습니다. 과거를 떠올려보고 이야기하는 것까지는 크게 어렵지 않았겠으나 그것을 글로 풀어내는 과정에서 단어 하나하나 추려내고 골라내는 일들은 아마도 전혀 다른 영역이었을 것입니다.

창작의 고통으로 도중에 포기하고 싶기도 했고, 근로가 힘들어 프로그램에 나오지 못하기도 했지만 결국은 네 분 모두 합심하여 좋은 결과물을 만들어 냈습니다.

이 책에 실려 있는 글 하나하나가 읽는 분들의 마음에 닿아 희망의 울림이 있기를 바랍니다.

각자가 가지고 있던 크고 작은 상처를 발판삼아 자립을 준비하고 시도하는 중인 것만으로도 하루하루를 치열하게 살아내고 계실 것으로 생각합니다. 그럼에도 프로그램에 참여하여 글을 쓰겠다고 결정해 주시고 멋진 결과물까지 만들어 내신 네 분께 이 글을 통해 감사의 인사를 전합니다. 더불어 잘 지도해주시고 책 발간까지 힘 써주신 최상희작가님께도 감사의 말씀 드립니다.

대전광역시노숙인종합지원센터
정착지원팀장 허진

첫 번째 클로버

작가 강진주

다시, 행복

프롤로그

나는 이런 사람이다.

나는 강아지를 좋아한다.
나는 나 자신을 아끼며 사랑한다.
나는 둥지에서 생활하며 지내는 것에 매우 만족한다.
나는 비빔 라면을 좋아한다.
나는 내 인생에 있어 그저 마음적으로 행복하게
    지냈으면 하는 바람이 있다.
나의 소원은 앞으로 남은 내 인생에 큰돈보다는
    건강한 모습으로 지냈으면 한다.
나는 자전거를 즐긴다.
나는 창문을 통해 자연들을 보는 것을 좋아한다.
나는 케이크를 받아본 적이 없다.
나는 토마토와 트롯을 즐긴다.
나는 마음에 평안을 원한다.
나는 항상 행복한 마음으로 인생을 살아가고 싶다.

파랑새 둥지

대전시 동구 역전4길 32
오갈 곳이 없는 노숙인들이 생활하는 곳이다.
여기가 바로 내 집이다.

3년 전쯤인가,
나는 여기서 한 달 정도를 지냈었다.
그러면서 코레일에서 지원받아 대전역 주변을 청소하는 일을 했다.
월급은 6~70 정도.
그 금액으로는 담뱃값과 기본적으로 나갈 것을 빼면 아무것도 할 수 없는 수입이었고,
나는 돈에 욕심이 생겨 다른 일자리를 찾아 결국 파랑새 둥지를 떠났었다.

그러나,
세상은 쉽지 않았고 무서웠다.
거짓 광고에 속아 힘든 노동을 했음에도 임금은 적었고 그나마도 일해놓고 받지도 못한 돈도 많았다.
이리저리 3년을 세상을 떠돌다 지칠 대로 지친 나는 결국 결론을 내렸다.

그래! 둥지로 가자.

대전으로 가는 고속버스에 올랐고, 창밖을 보며 내가
지내온 지난 과거들을 떠올렸다. 창밖에 흘러가는 풍경
처럼 내 인생이 그림처럼 스쳐 지나갔다.
이리저리 흔들리며 살아온 내 삶에 눈물이 글썽이기도
했다.

2023년 10월 어느 금요일,
오후 5~6시 사이에 노숙인들을 위한 일시보호센터 꿈
터의 벨을 눌렀다.
낯선 사람이 나왔다.
　"어떻게 오셨어요?"
　"예, 갈 데가 없어서 여기서 지내려고 왔습니다."
그러자 난처한 목소리로 말했다. 코로나 검사를 마쳐야
지낼 수 있다는 것이었다.
그때는 코로나가 극심하던 때였다.
순간, 나도 난처해지고 말았다.
그날이 금요일이었으니, 코로나 검사를 하려면 다음 주
월요일이 되어서야 할 수 있을 텐데, 금·토·일, 3일을
어디서 보낸단 말인가 하는 생각들이 뇌리를 스치며
다리에 힘이 쭉 빠졌다.
그러던 중 누군가가 또
　"어떻게 오셨어요?"

우리의 대화를 듣고 있었던 건지 난감한 상황에 꿈터에서 한 명이 더 나왔다.

안면이 있는 얼굴이다.

예전엔 긴 머리에 자전거를 즐긴다는 선생님이다.

지금에서야 알게 된 이름

서초롱 선생님

부랴부랴 선생님은 나를 차에 태우고 병원으로 출발했다. 대충 오후 5시간 넘은 시간이었으니 가는 중에 병원이 안 끝났으면 하는 서로의 간절한 바람을 가지고 병원엔 도착했다. 아니, 그 순간 내가 더 간절했는지도 모른다. 다행스럽게 병원문은 아직 열려 있어서 마치 구사일생이라도 한 듯 무사히 검사를 마치고 꿈터에서 생활하게 되었다.

그 순간에 나는 잔잔하고 충만한 행복감을 느꼈다.

그저 꿈터에서 생활하게 된 그것만으로도 내가 이런 기분을 느낄 수 있었다는 것에 나 자신도 새삼 의아해졌다.

예전에 서초롱 선생님은 온몸도 새까맣고 시골에 올라온 농사꾼처럼 보였는데, 지금은 어느덧 선생님 티가 났다. 머리도 커트하고, 안경도 끼고 많이 핸썸해졌다. 그때의 일로 항상 내가 고맙게 생각하는 사람 중의 한 사람이다.

파랑새 둥지의 입소를 위한 실장님과의 상담이 있었다.
실장님은 3년 전에 내가 떠난 날을 기억하고 있었다.
이곳을 오가는 사람들도 많았을 텐데 생생히 기억하고
있다는 것이 새삼 놀라웠다.
이런저런 얘기 중에 결국 난 실장님 앞에서 눈물을 보
이고 말았다.
내 인생에 고달픔이 왠지 모르게 녹아내리는 듯한 느
낌이랄까
입소를 위해선 적어야 할 것이 많았다. 실장님은 나에
게 물었다.
　"얼마나 지내실 생각이세요?"
나는 망설임 없이
　"10년요!"
갑자기 실장님의 눈이 커졌다.
　"그럼, 5년으로 하고 그때 다시 얘기해요."

일주일 정도의 시간이 지나서야 내 전화벨이 울린다.
길고 긴 기다림이었다.
　"여보세요?"
　"예, 강진주님, 강 실장입니다."
항상 부담스럽지 않은 편안한 목소리다.
　"오늘 둥지에 가족회의가 있으니 참석해서 인사라도
하세요."
둥지에 입소가 결정 났다는 소리다.

나에겐, 또 포근함과 행복함이 찾아왔다.

수급자도 만들고, 자활 근로를 위한 게이트웨이 교육도 마치고, 이렇게 겨울이 지나고 6개월이란 시간이 지났다.

지금의 난
조건부 수급자로 하천 정비 자활 근로를 하고 있다.
때론
더위에 지치고 힘들기도 하지만,
지금의 내가 일을 할 수 있다는 것과 조금씩 조금씩 돈이 모이는 것에 행복하다.
그래서 남은 내 노후를 위한 설계도면을 그리게 된다.
이제야 생각해본다.
지난 세월은 시위를 벗어난 화살처럼 스피드하게 지났다.
어느덧
지금에서야 내가 살아온 과거들을 깊숙이 들여 보게 된다.
난 항상 혼자였고, 항상 외로움과 싸워야 했다.
이 글을 쓰면서도 지금의 난, 자꾸만 눈물이 난다.
이번 생은 내가 외롭고, 고달팠다면
나의 다음 생은 그러지 않으면 좋겠다.

둥지
알을 낳고 키워주는 보금자리
난, 여기가 좋다.
꿈도 주고, 희망도 준다.
이곳은 나를 외롭게 하지도 않는다.
그것이 내가 이곳을 선택한 이유 중의 하나다.
여기가 바로 내가 편히 쉴 수 있는 곳
내 집이다.

삼계탕

8월에 찌는 듯한 더위다.

여덟 명이 한 조가 되어 일터에 투입되었다. 한눈에도 엄청나게 많은 양의 물건들이 쌓여 있었는데 처음 짐작한 것보다도 일이 더디게 진행되어 점심시간이 다 되어서야 다 옮겨졌다. 땀은 비 오듯 흐르고 더위에 이미 숨은 턱턱 차오른다. 이럴 때는 삼계탕 한 그릇 딱 먹으면 기운이 날 것 같았다.

"형님! 점심은 보신탕, 어때요?"

나는 순간 아찔했다. 보신탕이라면 먹어본 적도 없고, 냄새조차 맡기 싫어하는 나인데……

그렇다고 나 한 사람 때문에 다른 일곱 명이 먹을 수가 없다는 것을 떠올리니 답답했다.

"형님! 한번 먹어봐요. 이런 날은 몸도 챙기고 이런 것도 먹어줘야 한다니깐요?"

나 또한 알면서도 쉽지 않은 도전이다. 냄새만 맡아도 토할 것 같고 목구멍에서 구역질이 올라온다.

'그래! 한번 먹어보지 뭐! 건강하게 살려면 이런 것들도 먹어줘야지!'
하며 나 스스로 되뇐다.

잠깐 내 눈치만 보던 동료들에게, 나는 다시 미안함

이 살짝 앞선다. 식당이 가까워질수록 내 인상은 찌푸려지고 죽을 맛이었지만 애써 태연한 척 자리에 앉았다.

주인 양반이 기분 좋게 웃으며 음식을 들고 오는데 싱싱한 부추가 깔린 접시 위에 고기가 놓여 있었다.

"뭐냐, 이게?"

내가 물었다.

"형님, 개고기 수육이에요. 한번 먹어봐요."

사람들은 맛있게 먹는 동안 나는 몇 번이나 천장에다 한숨만 쉬어댔다. 땀을 한 바가지나 흘려 배가 몹시 고팠는데도 도저히 젓가락이 가질 않았다. 이런 날 지켜보고 있던 식당 주인이 와선 물었다.

"옆집에 삼계탕이 있는데 하나 시킬까요?"

"네, 감사합니다!"

죽으란 법은 없는지 옆 가게에서 삼계탕이 공수됐다. 나는 김이 모락모락 올라오는 닭 다리를 하나 물었다. 맛이 있게 보였는데, 배가 고파서라도 맛있어야 하는데, 이상하게 맛이 없었다. 그럴 리가 없다고, 맛있을 거라고 나에게 세뇌를 하며 열심히 씹어 목구멍에 넘겼다.

어쩌면 이미 나는 싫어하는 음식에, 싫어하는 냄새에 모든 것이 지친 상태였는지도 모른다.

나는 삼계탕을 좋아한다.
하지만, 이때만큼은 나에게 삼계탕은 진짜 맛이 없었
다.

착각

"지이이이잉."

내가 일하고 있는 현장 반장님한테 전화가 왔다.

"예, 반장님."

"형님, 2주 정도는 1시간 일찍 출근하셔야겠어요. 1시간 일찍 시작하고 1시간 일찍 마칠게요."

내일부터 작업시간이 변경된다고 하니 나는 새로운 알람을 맞추고 잠을 잤다. 혹시 늦기라도 할까 봐 조금은 긴장을 했다. 긴장해서였는지 알람 소리를 듣고는 눈이 번쩍 떠졌다. 평소보다 1시간 일찍 하루를 시작하는 것도 나쁘지 않았다. 점심 도시락은 늘 싸가는데 평소처럼 쌀까 하다가 평상시보다 양을 많이 줄여서 쌌다. 한 시간 일찍 끝난다면 밥 먹고 난 다음에 조금만 일을 할 테고, 일도 많이 힘들지 않을 거라는 계산이었다.

그런데, 반장님 말대로 1시간 일찍 끝난다면 2시면 마쳐야 하는데 끝날 기미가 보이질 않았다. 나중에서야 알았지만 원래 4시가 일을 마치는 시간인데 요즈음 3시에 퇴근시켰다고 한다. 완전한 계산 착오였다. 2시면 끝날 줄 알았던 일이 3시에 끝이 나니 배 속이 허전하다. 그런다고 일의 양이 줄어든 것도 아니어서 조금 준비한 점심이 야속했다. 일을 일찍 시작하든, 혹은 일찍 끝나든, 점심시간에 먹는 밥은 그냥 늘 먹듯이 먹었어야 했는데 왜 조금만 먹어도 될 것이라는 계산을 했는지 모르겠다.

지금은 저녁 7시가 넘어가고 있는 시간. 배가 너무 고프다. 평소는 6시면 저녁을 먹는데, 글쓰기 공부를 하러 와서 그러지도 못하고 8시까지 기다려야 한다니……

이런 것이 소통의 오류, 나만의 착각인가 보다.

잊혀진다는 것은

어린 시절에는 다른 아이들보다 꽤 잘 살았다.

밖으로 많이 다녔던 아버지와 달리 엄마는 나를 살뜰하게 챙겨주셨다.

나는 엄마를 무척 좋아했다. 그에 반해 아버지에 대한 미움도 많았다.

아버지는 사교춤 선생이었다.

내 기억 속에 국민학교 2~3학년 때쯤 엄마와 내가 손을 잡고 아버지가 다른 살림 중인 집으로 갔던 적이 서너 번 정도 있었다. 그때부터 아버지를 무척 싫어하게 되었다.

그래서 아버지가 엄마한테 함부로 하는 것을 나는 참지 못했고, 함부로 대하는 모습을 볼 때마다 대들기는 다수였고 아버지와 주먹 다툼까지 해 본 적도 있었다.

우연히 들은 어른들의 이야기로 친모는 내가 어릴 때 폐병으로 돌아가셨다고 한다. 하지만 내 기억에는 나를 키워주신 엄마 이외의 엄마는 없다.

그저 대충 눈치로 나를 키워주는 엄마가 친엄마는

아니겠구나 생각해왔던 것 같다.

어렴풋이 누군가가 나에게 말을 해 준 건지, 어른들 하는 이야기를 들은 건지는 모르겠지만, 엄마는 수영선수였고, 선수 생활 중에 다쳐서 아이를 갖지 못한다는 이야기를 들은 것 같다. 그리고 아이를 갖지 못하기 때문에 아버지가 엄마를 선택했다는 이야기도 내 기억속에 있다. 아마 친자식이 생기면 나를 소홀하게 여길까 봐 그러지 않았을까….

사실 엄마는 일본 사람이었다. 중학교 2~3학년 때쯤 우연히 어머니 옷장을 보다가 기모노와 일본 여자들 머리 꾸미는 것을 발견했고, 일본 테이프도 유난히 많았는데 그것을 보고 '어머니가 일본 사람일까?' 생각이 들기 시작했다.

중학교 2학년 때쯤 어머니가 일주일 정도 일본으로 다녀와서 사진도 찍어 오셨던 기억이 있다. 그런 것들을 종합해서 어머니가 일본 사람이겠다고 거의 확신이 들었었다.

그렇지만 그저 그대로 어머니가 일본 사람이겠거니라고 받아들여졌고 이걸 눈치챘다는 사실은 전혀 티를 내지 않았다. 그래서 내가 21살 때 돌아가셨던 엄마는 계모라는 것, 일본 사람이라는 것을 내가 알고 있다는 것을 아마 모르셨을 것이다.

엄마는 나에게 정말 잘해주셨다.

21살 때까지 김치, 양파 등 풀때기를 안 먹어봤다. 아침에 먹었던 반찬이 점심에 올라오면 손도 대지 않고 금방 한 음식만 먹었었는데 지금 생각해 보면 엄마가 무척 힘들었겠다는 생각이 들었다.

엄마가 내가 잘 때 깊이 잠든 줄 알고 내 머리를 연신 쓸어 넘겨주면서 "아이고, 내 새끼.. 아이고, 내 새끼.."라고 하셨고, 그러면서 "눈썹 보니 성질이 못~되게 생겼네" 라고 하셨던 기억, 아버지와의 관계가 좋지 않아 행여 엄마가 도망가 버릴까 봐 엄마와 낮잠을 잘 때 엄마의 옷자락을 꽉 잡고 잤던 기억들이 가끔은 생각나기도 한다.

어렸을 때는 몹시 미워했던 아버지이지만 이제 나이가 들고 보니 요즘은 그래도 내가 그때 아버지에게 거칠게 행동을 한 것이 후회도 되기도 한다.

내가 사는 게 바쁘고 힘들고 고달프다는 이유로 나에게 많은 사랑을 줬던 엄마를 떠올리는 날이 많이 없어졌다. 그렇게 잊고 지낼 때는 생각이 없다가 문득 한 번씩 생각날 때는 아버지에 대한 미움이 복받쳐 오르다가 한편으로는 이해되는 마음이 생기고, 엄마에 대한 고마움과 그리움이 밀려오면서 잊고 지낸 날들이 미안해진다.

행복

나는 지금 걱정거리가 없다. 살면서 행복이 무엇일까? 라고 진지하게 생각해 본 적이 없는 것 같다.

예전에는 '내가 어떻게 살까…. 돈을 구해서 전세를 어떻게 얻을까….' 이런 고민이 있었는데 지금은 내가 마음만 먹으면 LH 임대주택을 신청도 할 수 있고, 월세도 얼마 들지 않는 데다가 술도 먹지 않으니 큰돈 들어갈 일이 없어 앞으로 생활하는데 큰 걱정은 안 된다.

나는 지금 매우 행복한 상태이다.

나에게 행복이란 무엇일까 생각해 보면 걱정거리가 없어야 한다고 생각한다.
나에게는 걱정거리 없이 마음이 편안한 상태가 행복한 상태라고 느껴진다. 나는 지금까지 살면서 지금처럼 편안한 적이 없었다.

실장님과도 상담하며 이야기한 적도 있는데 둥지에서 생활할 수 있는 한 오래 생활하고 싶다.

둥지에서 나가면 혼자 밥을 먹고, 혼자 생활해야 하는데 이 안에서는 내 옆에 숨을 쉬고 일상생활을 함께하는 누군가 있다는 사실이 내 마음을 편하게 한다.

그리고 여기서 함께 지내는 사람들이 각자의 인생에서 쓴맛 단맛을 다 보고 온 비슷한 또래의 연배의 사람들이기 때문에 서로 배려하고 챙겨주면서 지내는 요즘이 행복하다.

너무 가깝지도, 멀지도 않은 사이를 유지하며 그 속에서 안정감을 느낀다.

여기에 와서 오히려 나에게 없던 울타리가 생긴 느낌, 보호자가 생긴 느낌이 든다.
이전에는 떠돌아다니면서 늘 혼자였다. 문제가 있어도 나 혼자 판단하고 결정해서 해결해야 했고, 무엇보다 좋은 일이 있어도 나눌 사람이 없었는데 지금은 나쁜 일이던, 좋은 일이던 나눌 사람들이 있다는 것도 나에게는 행복이라고 느껴진다.

나는 지금이 편안하고 행복하다.

에필로그

글쓰기 참여를 처음 권유받았을 때는 참여하는 데에 의미를 두었다. 조금 힘들 것은 예상했지만 한 번 해봐도 괜찮다는 생각에 참여를 결정하게 되었다. '글이야 쓰면 되지'라고 쉽게 생각했었다. 그리고 첫 주에는 괜찮았다. 그때는 숙제가 한 개밖에 없었고, 프로그램 끝나면 다 같이 맛있는 것도 먹으러 가면서 가벼운 마음이었다.

그런데 두 번째 주가 되니까 아니 갑자기 숙제가 세 개로 늘어나면서 과부하가 오기 시작했다. '써야지, 써야지….'생각하면서 주말까지 보내고 나니 마음이 너무 힘들었다. 땡볕에서 온종일 일하고 돌아와서 너무 피곤하니까 편하게 쉬고 싶은데, 몸은 쉬고 있지만 정신적으로는 '해야 되는데…. 진짜 오늘은 해야 되는데….'라는 생각에 심적으로 많은 압박이 오면서 쉬어도 쉬는 것 같지 않고 마음적으로 많이 힘들었다.

사실 아예 시도도 안 해 본 것은 아니었다. 해 보려고 노트를 펴고 엎드려 누워 '어떻게 쓰지? 무엇을 쓰지?'라고 생각을 했다. 그렇지만 아무리 생각해도 전혀 감이 안 와서 결국에는 글이 써지지 않았다. 결국 나는 고민만 하고 숙제를 못 했다. 그리고 일요일 저녁, 나는 도저히 못 할 것 같아서 내일 선생님께 전화해서 못하겠다고 이야기하기로 마음먹었다. 솔직히 글쓰기 프로그램을 그만두는 것이 나한테는 별 상관이 없었다. 그렇지만 강의해주는 선생님께 미안함이 많이 컸다. 프로그램에 참여하는 네 사람을 위해서 열심히 알려주려고 하셨는데 내가 빠지면 참여하는 사람이 세 사람밖에 안 되니까 선생님이 힘이 빠질까 봐 미안한 마음이 들었다. 또 프로그램 진행해주는 팀장님한테도 미안한 마음이 들었다. 그렇지만 미안한 마음이 든다고 내가 이 스트레스를 감당하기에는 너무 버거웠다.

그리고 월요일 아침. 8시부터 전화기를 들고 이야기할 준비를 했다. 9시가 되면 선생님이 출근하니까 '출근하자마자 전화를 해야지….' 하며 9시에 알람까지 맞춰놓고 기다렸다. 빨리 이야기하고 마음이 홀가분해지고 싶었다. 빨리.

그리고 아홉 시 알람이 땡 울리자마자 바로 센터에 전화해서 팀장님을 바꿔 달라고 했다. 그런데 선생님이 자리에 없다고 했다. 그래서 나는 팀장님이 오시는 대로 바로 전화를 해달라고 메모를 남겼다. 그리고 일을 하다가 팀장님에게 전화가 왔다. 팀장님에게 미안한 감은 있지만, 미안한 건 순간인데 그만두겠다고 이야기하는 순간부터 나는 편해질 수 있으니까 조금은 신나는 마음까지 들었다.

팀장님이 그냥 와서 참여만 해 보라고 했는데 다른 사람들은 와서 글을 쓸 텐데 나만 그냥 앉아있다가 가는 것을 상상하니 참여만 하는 것도 부담스러운 생각이 들었다. 그래도 선생님이 그렇게 이야기하니까 고민은 좀 해봐야겠다는 생각이 들었다. 어쨌든 월요일에는 전날까지 잠도 못 자서 너무 피곤해서 씻지도 못하고 그냥 곯아떨어졌다.

그리고 화요일에 일이 끝나고 집에 왔는데 실장님이 오셨다. 실장님도 어느 정도 알고 있는 것 같길래 팀장님한테 참여 의사가 없음을 말했다고 했다. 그랬더니 실장님이 글쓰기를 안 해도 참여를 해서 끝까지 완주했다는 경험을 해 보는 것이 좋지 않겠냐고 했다. 힘들고 어려운 일도 조금씩 조금씩 극복하는 것도 배워야 한다고 했다. 그리고 그 이야기가 내 마음에 와닿았다. 지금까지는 살면서 내가 하기 싫은 일은 안 하면 그만이라고 하면서 살아왔다. 누가 뭐라고 할 사람도 없었기 때문에 그냥 힘들면 피하고 안 해버리면 그만이었다. 하지만 앞으로 살면서 나한테 무슨 일이 어떻게 일어날지 모르는데 힘들고 어려운 일이 생기면 참고 이겨야 하지 않겠느냐는 생각이 들었다. 그리고 나도 글은 다 안 써도 된다고 했으니까 중간에 그만두는 것보다는 참여해서 끝까지 완주하는 경험이 나에게도 도움이 될 것 같았다. 그렇게 가벼운 마음으로 진짜 노래까지 흥얼거리며 신나게 다시 프로그램에 나갔다.

그런데 강사님이 잘 왔다고 하면서 글을 두어 개만 더 쓰면 된다고 말했다. 두어 개? 아니 하나도 생각

안 했는데 갑자기 두어 개나 써야 한다고 하니까 '이게 뭐지…?'라는 생각이 들었다. 글을 안 쓰기로 해서 온건에 다시 글을 쓰라고 하다니…. 점점 화가 나면서 선생님이 앞에서 강의를 하는데 계속 한숨이 나왔다. 만약 예전에 나였으면 그 자리를 바로 박차고 나왔을 것이다. 하지만 선생님 체면도 있으니 정말 꾸우우우우우욱 참고 자리에 앉아있었다.

그런 내 모습을 본 팀장님이 잠깐 나오라고 했다. 그리고 처음에는 다시 글을 써보라고 하는 말에 왜 나한테 하기 어려운 일을 자꾸 강요하는지 답답하고 짜증이 났다. 근데 또 팀장님은 또 참여만 해 보라고 하고, 그 얘기를 들으며 실장님이 한 이야기도 생각이 나서 그러면 다른 사람들 입장도 생각해서 내가 전부 다는 못 쓰고 글이 길든 짧든 한 가지는 써줘야겠다고 생각이 바뀌었다.

그리고 다시 글을 썼고, 선생님과 함께 글을 쓰다 보니 글쓰기 프로그램은 마무리가 되었다. 이렇게 마치고 보니 내가 글쓰기에 이렇게 소질이 없는지 몰랐다. 써 본 적이 없어서 글 쓰는 게 이렇게 힘들 것이라고는 생각해 보지도 못했다. 내가 전혀 생각지도 못한 스트레스를 마주해서 도망치고 싶었다.

글을 쓰고 나니 다른 사람들은 글에 얼마나 진심이 들어갔는지, 100% 다 표현을 했는지가 궁금해졌다. 나 또한 드러내지 못하는 부분이 있었기 때문에 아마 다른 사람들도 그렇지 않았을까라는 생각을 해 보기도 한다.

　지금에 와서 생각해 보면 주위에 여러 선생님의 도움을 받아서 완주할 수 있었다. 그렇게 다 완주를 나니까 오히려 기분이 썩 좋지 않다. 내 의지에 의한 완주가 아니라 아쉬움이 남기 때문이다. 다음에 다시 글 쓰는 기회가 온다면 깊은 고민에 빠질 것 같다.

두 번째 클로버

작가   권국환

프롤로그

나는 이런 사람이다.

나는 강아지를 매우 좋아한다.
나는 빛바랜 석양의 붉은 노을을 보는 걸 좋아한다.
나는 오래전에 다방에서 아르바이트를 한 적 있다.
나는 로봇 태권V를 어릴 때 TV에서 보았다.
나는 마음이 따뜻한 사람을 좋아한다.
나는 바닷가에서 고기 잡는 어릴 적 기억이 있다.
나는 사랑하는 사람에게 버림받은 적이 있다.
나는 어릴 적 엄마한테 청소 안 했다고 혼난 적이
　　있다.
나는 운동할 때 자전거 타고 드라이브를 즐기는 걸
　　좋아한다.
나는 한여름 초록색 풀밭을 다니는 걸 좋아한다.
나는 지인의 생일 때 선물과 케익을 자주 해준다.
나는 군대 있을 때 태극기와 무궁화 이야기를 자주
　　들었다.
나는 프로페셔널한 존재이길 바란다.
나는 옷 입을 때 하얀색을 즐겨 입는다.

착각

나 그대를 언제부터 어떻게 좋아했는지 몰라요
눈 감아도 떠오르는 그대 날 어쩌면 좋을까요
몇 번을 잘못했던 사랑에 두려워진 마음이
아직까지 바라만 보고 있으라고 하네요
날 사랑한다고 말하던 그대의 눈이 내 착각이면
어쩌죠
여전히 말 못 하는 나라서
언젠가 내 표정에 나타나면 그대 어쩌면 좋을까요
항상 잃어왔던 누군가를 또 만들진 않을까
아직까지 바라만 볼 수밖에 없는데
널 사랑한다 말했던 나의 눈이 닿지 않으면 어쩌죠
여전히 말 못 하는 나라서 언젠가 내 표정에 나타나서
그대 멀어지면 어쩌죠
난 괜찮아요. 전부 다 괜찮아요
나 이대로 있을게요. 날 사랑한다 말했던 그대 눈이
내 착각이면 어쩌죠
여전히 말 못 하는 나라서 언젠가 내 표정에
나타난다면
그대 어쩌면 좋을까요

사랑의 감정을 나만의 착각이라고 한다면 얼마나 슬픈 일일까. 생각만 해도 가슴이 아프다.

착각(錯覺)은 어떤 사물이나 사실을 실제와 다르게 지각하고 인지하거나 의식하는 행위와 생각을 말한다. '착각은 짧고 오해는 길다. 그리하여 착각은 자유지만 오해는 금물이다.' 드라마 <응답하라 1988> 중에 나오는 말이다. 우리가 오랜 시간에 걸쳐 세상을 살아오면서 틀 속에서 수많은 인지적 착각, 상상적 착각, 그리고 갈등적 방황의 소용돌이 속에서의 착각하고 살아간다. 사람들이 흔히 말하는 착각이란 과연 어떤 측면의 이야기일까?

해부학상 현생인류의 기원에 대하여 잠시 이야기해 보려 한다. 인류의 기원에 대한 고고학자와 과학자들의 가장 지배적인 견해는 '아프리카' 기원설이다. 이 가설은 인간이 아프리카에서 진화하여 5만 년에서 1만 년 사이에 아시아에서의 호모 에렉투스와 유럽에서의 호모 네안데르탈렌시스의 인구를 대체하면서 이주했다고 주장한다.

또 다른 주장은 다윈의 진화론과 기독교에서 이야기하는 창조론이다. 유신 진화론은 신이 우주를 창조할 때에 자연계의 생명체에게 진화능력을 부여해서 현재의 다양한 생명체들이 생겨났다고 보는 기독교 창조론의 하나이다. 유신 진화론은 신학적 개념으로 과학적 관념이 아니라 종교적 관점에 해당하며 진화가 자치

중립적인 사실이므로 유신 진화론은 진화론이 아니며 진화론이란 이름으로부터 발생할 수 있는 오해를 방지하기 위해 진화적 유신론, 진화적 창조론으로 불리기도 한다. 찰스 다윈은 갈라파고스 제도를 탐험하면서 발견한 새의 표본과 화석을 통해 진화론을 주장하게 된다. 그의 책 '종의 기원'을 통해서 창조론과 맞서는 진화론을 다양한 증거를 제시하여 사람들을 이해시키려 했다.

이제까지 없었던 주장을 들었을 때 우리는 흔히 잘못된 생각이라고 무시해버리는 경향이 있다. 또는 새로운 학설에 대해 호기심과 의문점에서 오는 잘못된 판단과 착각을 하기도 한다. 우리는 이 모든 이야기와 일생의 생활 속에서 판단과 착각 때론 혼동을 일으키는 엄청난 문제들과 싸우며 살아간다. 착각하고 오해를 하며 살아가지 않으려면 내게 주어진 이 정보가 과연 맞는 말인지를 정확하게 판단할 수 있는 지적 능력이 갖추어져야 하겠다.

상처, 또는 절망

6, 7년 전에 ≪상처의 해석≫이라는 영화를 보았다. 외국 공포영화로 분류되어 있어서 왠지 무서움과 소름, 그리고 압박이나 정신적 공포감을 주는 영화 줄거리일 거라 예상하고 감상했는데, 영화는 의외로 공황장애와 심리적 우울함과 외로움으로 인한 공포감을 주는 영화였다. 어쩌면 공포는 외부의 공격이 아니라 내 안에 숨겨진 상처로 비롯한 것이 아닐까 하는 생각이 들었다.

상처 없는 인간은 세상에 단 한 명도 존재하지 않는다. 예를 들면 아주 어릴 적 겪었던 사건이나 사물에 대한 트라우마. 혹은 심하게 다투며 들었던 말들. 폭력이나 가스라이팅 그리고 따돌림을 받은 사람. 외로움의 감정이나 분노의 폭발에 대한 저항들 이 모든 것이 우린 조그맣게나 아니면 큰 비중을 차지하게 되는 '상처'라고 한다.

우리는 나 자신의 상처와 타인의 상처가 비슷하거나 같다고 느끼게 되면 서로의 아픔을 공감하고 서로 일맥상통했다고 느끼며 호감을 느끼게 된다. 같은 아픔을 가진 서로를 바라보며 어쩌면 나에게 각인된 이 아픔이, 같은 상처가 있는 상대방으로 인해 치유되는 것은 아닐까 하는 기대를 하게 되는 것이다. 상처는 우리 내

면적 가슴의 마음을 생각이나 머릿속에서 뇌의 기억상태에서 절대적으로 지워버리거나 삭제시킬 수 없는 사건이나 경험이다. 하지만 상처의 굴레에서 벗어날 수 없다는 절망보다는 노력 여하에 따라 충분히 극복할 수 있을 거라는 희망을 품어본다.

「고민에 빠져 있다면

고민보다 작은 것이고

생각에 묶여 있다면

그 생각보다 약한 거야」

무엇이 문제인가?

후회, 좌절, 포기, 낙오. 이런 단어들은 우리가 거의 삶의 갈림길에서 선택해야 할 때 거쳐야 할 관문들이며 우리 개인 자신이 최후의 판단을 해야 할 때 내리는 결정들이자 결론이다.

흔히 이런 말이 있다. '있을 때 잘해.' 그리고 '피할 수 없으면 즐겨라.', '가지가지 한다.' 등등의 말들이다. 세상을 살면서 우리는 이기적으로 행동해야 할 때도 있고 배려나 이해, 동정해야 할 때도 있다. 이기적인 마음과 배려, 이해와 동정을 가지게 되는 경우 대략 인생의 타이밍이라고 하는데 우리는 매일 하루하루 이런 일들을 마주해야 하고 순간순간 최선의 결정을 내리기 위해 고군분투한다. 그러나 그런 최선의 결정이 따로는 최악의 결정이 되기도 한다.

나 자신이 살아온 인생을 돌이켜보면 좋은 날보다 기억하기 싫고 지워버리고 싶은 그런 과거사들이 더 많은 것 같다. 젊은 나이에 나이든 영감님 같은 소리 한다고 비웃을지도 모르지만, 생각이 너무 많고, 너무 길어서 문제이기도 하다. 그 생각의 고리 속에서 벗어나길 바라지만 그 굴레를 가지고 갈 수밖에 없는 게 또 현실인 것 같다. 불면증에 많이 시달리는 이유가 또

한 그런 점 때문인 것 같다.

잘 나가던 과거, 빛나고 행복하고 찬란했던 나의 삶이, 지금처럼 끝이 보이지 않고 희망이 안 보이는 절망과 나락에 떨어져 보니까 새삼 다시 태어난 것처럼 느껴질 때도 있다.

아마도 지금이 그런 시점인듯하다. 순간의 착각, 감성, 그리고 실수를 하면서 지금의 또 다른 인생의 절망적 지점에서 과연 어떤 방식이 옳은지 그른지 나의 행동과 생각의 문제점이 무언지 파악해 나가야 할 것이다.

『우리는 두려워할 것이 없다.
두려워해야 할 것은
두려움 그 자체이다』

-프랭클린 루스벨트-

기억, 잊는다는 것

    기억이란 무엇인가. 그리고 우리에겐 기억이란 의미와 단어적 표현이 주는 느낌은 무엇일까? 기억을 검색해보면 다음과 같이 나온다. <기억(記憶, Memory) : 뇌에 받아들이는 인상, 경험 등 정보를 간직한 곳, 또는 간직하다가 다시 반복적 주기로 떠올려 내는 것을 말한다. 어떻게 보면 기억이란 것은 우리의 인생 그 자체, 관점에 따라서는 '나'라는 존재를 규정하는 '정체성' 그 자체이기도 하다. 보통 유명한 인사들이나 공인들이 죽기 전이나 살아온 세월을 정리하고 싶어 하는 시점이 되면 개인마다 자필로써 자기 이야기를 써서 책으로 출간하고는 한다.

    '자서전'은 자기의 개인적 시각에서 주관적 생각을 담은 일기나 본인 인생의 걸어오고 살아왔던 이야기 즉, 객관적 측변보다 주관적 시각에서 바라보며 글을 쓰는 것이기 때문에 아주 특별하고 대단하게 인기가 있거나 하진 않다. 기억의 측면과 의미를 살피면서 초반부터 옛이야기들을 머릿속에서 끄집어내면서 저자는 여러 가지 생각과 고뇌의 반복적 운동을 통해서 글을 써 내려간다. 살면서 자라고 지내오던 과거의 메모리를 찾아 부모님과 친한 친구들 그리고 사랑하는 연인이나 형제 가족들 가까운 지인들에게 자기의 장단점 및 기억해낼 수 없는 과거의 본인 이야기와 재밌거리들을 물어보고 걸러내고 수많은 여러 기억을 써 내려가는 굉장히 힘든 작업일 수 있다.

문득 조각가 로댕이 생각난다. 조각가 로댕의 최고 작품인 '생각하는 사람'은 고뇌와 우수에 가득 찬 그 동상의 표정을 보면 무엇인지 가늠할 수 없는 기억을 찾는 이미지가 강렬하다. 요즘 현대 사회의 문명 세상에서는 컴퓨터가 없으면 생활이 불편해지는 경험을 느낀다. 컴퓨터 기기에서 가장 중요시되는 부품이 바로 소프트웨어나 하드웨어를 읽고 해석하는 메모리 회로 장치다. 이 부분의 부품이 고장 나거나 에러나 마비 상태가 되다 보면, 사람으로 비유하자면 뇌사상태 즉 아무런 눈빛과 표정 심지어 말도 못 하게 되는 식물상태가 된다. 신체만 그대로 유지하고 있고 아무런 반응을 못 보이는 쇼크 상태가 돼버리면 소통 역시 제로가 될 수밖에 없다. 컴퓨터도 마찬가지로 기억회로 장치가 없다면 고철에 가까운 한낱 무거운 쇳덩어리나 플라스틱 통으로 여겨질 것이다.

이처럼 '기억'이란 사람이나 지구상의 모든 생물에 있어 반드시 장착되어 있어야 할 아이템이자 무기이다. 우린 과거의 역사에서 돌이켜보면 기억이 얼마나 중요하고 삶에 있어서 무게감을 주는지 알 것이다. 과거를 돌이켜보면 아픔과 시련 그리고 고난과 역경의 시련과 세월이었다 또 같은 시련을 겪지 않기 위해서라도 과오를 범하는 오류를 발생시키면 안 될 것이다.

　나는 어릴 적부터 그림에 소질이 있고 관심이 많아서 거짓말 조금 보태서 그림에 미쳐 살았다. 초등학교 4학년 때였나! 내 기억으로는 강아지나 고양이 등등 각종 자연과 동식물에 관심이 많아서 그들을 주제로 만화나 정밀묘사, 그리고 데생으로 표현하는데, 계속 지치지 않는 열정으로 방과 후에 내 방에 처박혀서 그림만 그려댔다. 계속해서 여러 가지 표현 방법으로 시도를 해보고 또 부모님께 졸라대서 사진도 찍어달라고 해서 더 세밀하고 완성도 있게 몇 날 며칠을 수십 번 반복해서 펜으로 그려보았다.

　학창시절 그 노력의 덕분이랄까. 각종 경시대회나 그림대회에 나가서 수상도 많이 했고 주위의 친구나 친척들에게 부러움의 대상이 되기도 했다. 하지만 너무 학창시절 내내 방에만 있고 밖으로 나가질 않아서인지 인간적 유대관계나 친구들과의 붙임성 그리고 사회성은 많이 부족한 상태였다. 그러다 보니 사람들 많은 자리나 모임은 은근히 피하게 되고 조금만 어렵고 나 자신이 못한다는 자신감의 결여 때문에 일을 피하게 되는 습관이 조금 생겼다.

글을 쓴다는 것에 대하여

대부분 사람은 "글을 쓴다."라는 행위와 문자를 문서로써 기록하는 행동을 여러 가지 형태의 각기 다른 의미를 부여한다. 나에게 글을 쓰고 문서로써 작성하고 기록하는 것은 일상에서 일과 관련한 부분 그리고 감정과 자기 내면의 마음을 간략하고 단계적인 구조와 수단으로 나뉘어 각자 단어나 낱말 속에 의미를 부여하는 것이다.

첫 번째, 지구상의 모든 살아있는 생명과 생명체는 각자의 "일"이 있다. 그 가지가지 수의 수많은 일과 직업 중에는 책임이 강하게 뒤따르는 일이라든가 전문성을 지닌 일 그리고 조금의 노력과 대가를 지급하는 일 등등 수많은 다양성을 지닌 일과 직업들이 있다. 나 자신도 먼저 일에 대한 표현을 글로 옮기려 한다. 일이란 뭘까 우스갯소리지만 이런 말이 있다. "먹기 위해 일을 하는가, 일을 하기 위해 먹는가?" 해석하면 두 가지 글이 주는 의미는 동일하다. 먹고 살기 위함이 모든 이에게 첫 번째 우선순위이므로 먹기 위해 일을 한다. 그리고 두 번째 의미가 던지는 단어의 뜻도 맞는 말이다. 활력이 넘치는 힘의 근원을 만들어 내기 위해서는 일

단은 기본적인 수분(물)부터 포함해서 각종 음식물을 먹어줘야 한다. 그래야 정신적인 두뇌 운동의 에너지라던가 육체적인 근력운동을 발휘할 수 있다. 물론 첫 문장인 주제의 단어에서도 이야기했던 것처럼 머리를 쓰며 손목의 힘으로 펜을 굴리고 글이란 글자를 표현하기 위해서도 음식을 먹는다는 건 우리에게 매우 중요하며 기본이 되는 것이다. 하루 24시간의 일과를 보내고 마무리하며 중간중간 기억 운동과 글을 쓰며 기록 운동도 같이하는 것이 지금 우리들의 평균적 현실이다. 이런 사회적 물리적 반응들의 전쟁 속에서 일기나 에세이를 쓰는 이들, 그리고 소설이나 시를 적는 이들. 여러 분류의 글을 집필하는 분들이 많다고 느낀다. 사람이 태어나서 100여 가지의 직업과 모든 일에 대한 경험을 다 해본 이는 아마 내 주위에도 없고 상식에 비춰보았을 때도 없을 것이다. 인생을 살아가면서 작게나마 이렇게 몇 글자 적어 내려가면서 나만의 내 생각이 들어가는 책을 짓고 집필을 한다는 경험. 생각만 해도 새로운 자극제가 될 것이며 좋은 경험치가 되고 나 자신도 몰랐던 자신감이 생기는 기분을 느낄 수 있어서 지금, 이 순간 소중하고 행복하고 뿌듯하다.

Cafe Latte

『멀리 있는 사람을 사랑하기는 쉽다.
가까이 있는 사람을 사랑하기란,
항상 쉬운 것만은 아니다.』

－마더 테레사－

소통

일반적으로 의사소통(意思疏通)의 줄임말로 쓰인다. 영어로는 마찬가지로 커뮤니케이션(communication)이다.

누구를 막론하고 개인의 이미지라는 게 있다. 보통 첫인상이라는 건 짧으면 '3초' 늦어도 '5초'안에 결정된다. 이런 말을 들은 적이 있다. 인간은 사실 첫 만남의 상황 속에서 상대방의 외모와 목소리, 그리고 언행과 태도 등등 비언어적 요소들을 통해서 빠른 두뇌 회전의 판단을 내리는 경향이 있다. 이런 비언어적 표현과 행동들이 소통의 중요성을 강조하는 대표적인 이미지라는 것이다. 눈빛은 상대방과의 소통에서 가장 중요한 요소 중 하나이다. 진실적이고 진솔한 따뜻한 눈빛으로 서로를 마주하는 것은 상대방에게 신뢰감을 주고 적극적으로 소통하려는 의지를 보여주는 것이다. 우리가 대화를 주고받으며 서로에게 단어적 말로 표현을 할 때 눈을 보며 이야기하는 것이 중요하다고들 한다. 그만큼 눈빛을 건네고 주고받으며 미소를 친절하게 하는 언행은 소통을 서로가 주고받을 준비성을 나타내는 것이며 계속 호기심을 끌어내는 동시에 테이블 테니스처럼 주거니 받거니 이어질 수 있는 서로의 발판을 만들어 준다.

우리는 모두 인간관계를 하며 하루에도 여러 사람을 만나며 친밀함을 표현하고 소통을 하며 관계성을 이어 나간다. 흔히들 이미지 때문에 소통을 주고받기 힘들거나 약간의 근거 없는 주관적인 생각만 가지고 대화를 하고 소통을 주고받기를 어려워하는 이들이 많다. 대화하고 소통을 주고받기를 어려워하는 이들이 많다. 나의 개인적인 소견은 일찍부터 편견과 작은 오해를 가지고 상대방에게 접근하고 소통한다면 대단한 실례이자 생각의 착오라고 생각한다.

모든 사람은 각기 다른 개성과 성격을 지니고 살아가고 있으며 또 삶의 배경들이 하나같이 똑같을 수 없기에 지닌 습관이나 생활적인 리듬이 다들 틀릴 수가 있다. 우리가 보통 대화의 차이 생각의 편견 그리고 다름이란 단어들을 인정하지 않기 때문에 이런 가치관의 차이점이 발생하는 것이다.

어릴 적 나는 TV에서 '성철스님'이란 분을 알게 되었다. 그냥 지나가는 TV 소리에 잠시 귀를 기울이고 그 스님이 하는 말씀을 들어보니, 몇 글자 안 되지만 대단한 깊은 뜻이 있었음을 느끼고 한동안 나의 뇌리를 스쳐 지나갔다. 큰 스님이 하는 말은 <산은 산이고, 물은 물이로다> 이 말 한 구절이 지금까지 나의 인생에 있어서 작게나마 깨달음을 주었던 기억이 있다. 바로 있는 그대로의 모습과 생각을 바라보고 인정하며 느끼라는 말이었다. 하지만 안타깝게도 우린 큰스님이 아닐뿐더러 그만큼의 배움이 부족한 탓일지 모르지만, 그 말의 뜻처럼 쉽게 받아들이고 인정하고 존중하질 않는다는 점이다. 상대방의 약점 잡기가 우선시되고 서로를 비방하는 글을 올리는 게 지금의 우리 현실이고 현대인들이 지나친 판단과 착각이 오류에서 오는 불행이다.

2000년 초반쯤에 영화관에 가서 보았던 한국 영화가 생각난다. 공지영 작가의 <우리들의 행복한 시간>으로 살짝 안타깝고 애처로운 맘이 감도는 슬픈 기억의 영화로 나의 머릿속엔 인식되어 있다. 그 영화에서 맘씨가 순수하고 착한 남자 주인공이 살아가 보려고 몸서리치며 발버둥 치다가 결국 살인이란 끔찍한 죄를 저지르고 만다. 사형수가 되어 마지막에 죽음의 문턱의 길로 유유히 걸어가서 하는 말이 '살고 싶다'였다. 어찌 보면 '소통'이란 주제와는 전혀 관계가 없을 수도 있다. 영화 이야기를 꺼내게 된 개인적 이유는 "소통"이란 게 우리 삶과 일상적인 생활에 있어서 얼마나 큰 비중을 차지하는가를 나는 이야기하고 싶다. 있는 그대로의 모습을 서로가 이해하며 배려하고 존중해주었을 때 우리 사회는 더욱더 따뜻하고 밝은 비전이 보이는 대한민국이 될 거라고 믿는다.

『소통은 두 사람 사이의 다리입니다』

-로널드 레이건-

오류

오류 하면 과학 및 발명가들이 생각난다. 오류나 실수로 얼마나 많은 발명품이 만들어졌는가. 전기의 아버지이자 선구자적인 업적을 많이 남긴 미국의 발명가 에디슨하고 그의 직속 제자이자 시간이 지나서 개인적으로 독립을 한 또 한 명의 세계적인 발명왕 테슬라도 그렇다.

많은 과학자와 발명가 중에서 두 과학자 이야기를 먼저 꺼내는 이유는 수학과 과학적 전문용어가 오류이기 때문이다. 전기의 발견 이후 에디슨은 교류방식을 채택했고, 테슬라는 직류방식이 맞다고 주장했다. 이 두 가지 방식으로 전류를 통과시키는데 쉽게 계산하면 직류방식이 맞고 여러 가지 상황과 지출 등을 고려했을 때는 교류방식이 맞다. 대부분 전문가는 초반에 직류 쪽을 선호하고 개발했지만, 시간이 지나 에디슨의 교류방식이 에너지 효율적 소비 측면에서 이익이라고 생각했고, 현대에 와서는 거의 특수업체를 제외한 95% 이상이 교류(병렬방식)를 택하고 있다.

전자·전기 그리고 발명왕 이야기를 하는 이유는 앞에서 언급했듯이 두 사람의 노력이 어느 누가 더욱 뛰어난가의 문제를 제기하고 싶은 게 아니라 오류에 관해 이야기하기 위해서다. 우리 인간은 태어나서부터 오류를 범하게 되며 판단의 갈림길에서 갈등하며 살아가고 있다. 즉 착각과 실수의 연발, 착오의 흐린 판단 그리고 그 가치관과 기준점 속에서 매일 정답을 찾기 위해 두 가지 혹은 세 가지 네 가지 문제들에 대하여 정신적 스트레스를 받으며 살고 있다. 원숭이도 나무에서 떨어지는 사실에 대한 오류와 실수가 중요한 건가 아니면 나무에서 떨어진 적이 중요한가! 모든 세상사 인생사에선 사건·사고 그리고 오류와 실수의 연발이었고 그것이 지금까지의 인류학적 관점에서 보면 역사적 실제 사건들과 무관하지 않다.

19세기 전 유럽을 공포로 몰아넣은 전쟁광 프랑스의 나폴레옹. 나폴레옹이 유럽을 평정하고 난 이후 러시아를 침공. 모스크바까지 함락시켰지만 그 이후부터 몰락이 예고되어 있었다. 결국, 프랑스는 1·2차 세계 대전을 겪으면서 패망이 길을 자초하게 되었다. 이렇듯 생각의 판단에서 오는 오류의 실수는 모든 이간의 마음을 아프고 화나고 힘들게 한다. 그러므로 우리는 합리적 의심과 현실적 가치관에서 좋은 판단과 실질적 판단이 중요하다.

『친절과 관용에 관한 낡은 생각들은
그저 우리 세계에서 반드시 제거해야 할 오류일 뿐이다.
그리고 이 차갑고 무정한 기계들이
우리에게 길을 가르쳐 줄 것이다』

-빌 게이츠-

치유의 방법

어릴 적 친한 벗에 대한 보고픈 마음과 내가 살던 고향 등 그리움이라 하면 여러 가지 장면이 떠오른다. 어릴 적 살던 동네와 집. 그리고 사랑하는 가족과 형제 부모님에 대한 그리움. 지금 내 나이가 벌써 마흔 후반 대에 접어들어서 쉰을 향해가고 있는데 그리운 친어머니가 40대 초반에 운명을 달리하셔서 가끔 몹시 보고 싶은 마음에 몸서리칠 때도 있다.

보통 세상을 살아가며 그리움으로 인하여 마음의 병을 얻는 경우도 많고 사람과의 대인관계에 있어 갈등과 원망, 질투와 시기를 유발한다. 그럼 가만히 있으면 치유가 되는가? 당연히 안될 듯싶다. 우리는 각기 다른 직업과 각자의 다른 개성과 성향을 가지고 있으며 인생을 살다 보면 여러 가지 종류의 마음의 병을 얻기도 한다. 다들 마음을 치고 들어오는 스트레스를 견디어 내는 최대치나 최저치가 있을 것이다. 그렇기에 동일한 치료방법으로 마음을 치유한다는 것은 어려운 일일 것이다.

어떤 사람이 길을 지나가다 '교통사고가 나서' 육체의 상처를 입었다고 하자. 육체의 상처는 병원에 가서 치료를 받고 약을 복용하면 시간이 지나서 깨끗하게 아물게 된다. 하지만 오랫동안 받아온 징크스나 스트레스성 장애, 혹은 트라우마로 인한 질환은 쉽게 치유되지 않는다. 오래전엔 많이 볼 수 없었던 정신과라든가 심리학, 그리고 사이코패스 정신 상담소 이런 학과나 전문용어와 직업 등은 모두가 밀레니엄 시대를 거치며 최근 많이 사용되는 말들이며 특수직업군이다.

요즈음에 이러한 단어들이 난무하는 이유는 정신적 황폐함에서 오는 것일 것이다. 나의 삶의 가치관을, 정신을 중요시하며 어떤 상황이나 어려운 현실이 닥치더라도 정신만 제대로 무장되어 있으면 능히 불가능한 일은 없을 것이며 적절한 해답을 찾을 수 있을 것이다.

그러한 이유로 현실을 직시하고 실천 가능한 일들을 만들어가며 여유를 찾는다면 마음의 병도 거뜬히 치유될 수 있을 것이다.

『너는 두려워하지 말라
내가 너를 구속하였고
내가 너를 지명하여 불렀나니
넌 내 것이라!』
-이사야 43장 1절

『불안과 두려움이 엄습할 때에도

예수님은 늘 우리 곁에서 용기와 희망을 북돋아 주신다.』

-찰스 스텐리

Amid the Uncertainty and
pressures surrounding you.
jesus is at your side to strengthen
and encourage you
- Charles F. Stanley -

에필로그

    물질적인 풍요나 돈이 많다는 것, 아니면 세상에서 가장 아름다운 이성과의 만남. 새로운 물건이나 자동차를 구입하는 것. 대부분의 사람이 행복을 느끼는 기준들이다.

    내가 인생을 오래 산 것은 아니지만 과거 사람들과 비교하면 현재 사람들은 행복과 부의 기준점을 보통 물질에 비교하는 경우가 많다. 동화 「파랑새」를 보면 '행복은 아주 가까운 곳에 있다'라는 말이 나온다. 하지만 인생이란 현실과 부딪치게 되면 대부분 사람은 이 말 자체를 부정하거나 지금의 시대정신 즉 자본주의와 돈에 대한 언급을 많이 한다.

    인생엔 과정과 결과는 있어도 정답은 없다고 생각한다. 수많은 실수의 반복, 그리고 그 과정을 밟아가면서 부딪치는 시련과 고민, 때론 상황에 닥칠 수도 있는 갖가지 변수들과의 생각 싸움 등등. 이로 헤아릴 수 없는 고통의 연속성일 수 있지만, 대부분 사람은 대체로 치열한 자신과의 싸움을 현명하게 극복하며 해가 뜨고 지듯이 잘 살아가고 있다. 그리고 그 삶 속에서 큰 행복, 작은 행복, 소소한 행복을 느끼고 보람을 느끼며 살아가고 있다.

글을 쓰는 이 시간이 나에게는 큰 행복, 작은 행복, 그리고 소소한 행복까지 느낄 수 있는 시간이었다.

'행복~은 마음속에 있는것'

2024年 6月 25日 Kwon 3 Lee.

세 번째 클로버

작가 새파란

프롤로그

나는 이런 사람이다.

나는 부모님을 그리워하는 사람이다.
-철없던 시절에 부모님의 마음을 헤아려 드리지 못하고 여러 가지 핑계를 대면서 반항을 했던 지난날의 과오를 뉘우치며, 함께 했던 지난 30여 년의 시간이 짧게만 느껴지기 때문이다.

나는 노을을 바라볼 때 추억에 슬퍼지는 사람이다.
-나는 종종 슬퍼지거나 외로울 때 노을을 바라보며 마음을 삭이고는 했다. 붉게 물든 노을을 볼 때면 그 아름다움에 잠시 슬픈 마음이 사라지기 때문이다.

나는 앞으로의 미래가 두려운 사람이다.
-지난 세월 내가 마음먹으면 다 될 줄 알았던 나의 어리석음을 이미 겪어봤기 때문에, 남아 있는 나의 미래가 솔직히 무섭고 두렵기 때문이다.

나는 하루에 한 끼는 거의 라면을 먹는 사람이다.
-내가 사는 곳은 사실상 요리를 할 수 없는 곳이라 따뜻한 국물을 먹고 싶어서 늘 하루에 하나 정도는 먹고 있는 라면이 너무나 소중하기 때문이다.

나는 바닷가를 거니는 걸 좋아하는 사람이다.
-지난 세월 외롭거나 슬플 때 나의 도피처가 되어주었기 때문이다.

나는 사랑에 실패한 사람이다.
-나의 부족함으로 인하여 사랑하는 사람과의 이별을 경험했기 때문이다.

나는 엄마, 아빠가 너무나 그리운 사람이다.
-아직도 나는 엄마, 아빠의 사랑이 고프기 때문이다.

나는 제주도를 한 번도 못 가 본 사람이다.
-결혼을 해보지도 못한 나에게는 우리 시대 신혼여행지였던 이곳을 단 한 번도 가 보질 못했다. 뭐, 고소공포증이 심하기 때문이기도 하다.

나는 가끔 창문 밖을 보는 것을 좋아하는 사람이다.
-마음이 답답할 때나 울적할 때마다 나는 창밖 하늘을 쳐다보며 마음을 달래는 편이기 때문이다.

나는 카카오톡을 만들지 않은 사람이다.
-카톡은 '왠지 족쇄라는 생각이 들어서'가 예전의 이유였지만, 지금의 나에게는 '숨어지내고 싶고 아무도 나

를 찾지 않았으면 해서' 카톡을 만든 사람을 원망하는 마음이 있기 때문이다.

나는 쉬는 날 텔레비전을 보며 시간을 보내는 사람이다.
-혼자만의 시간이 되면 내가 할 수 있는 것이 별로 없어서 어느덧 나는 영화나 드라마를 보며 눈물을 흘리는 아줌마가 되어 있기 때문이다.

나는 누구에게 표현하는 것이 서툰 사람이다.
-극 I 인 나는 내성적인 성격으로 친한 사람들에게도 쑥스러움을 느끼며, 나를 표현하는 것이 어려운 사람이라 다른 사람과 쉽게 친해지기 어려운 성격의 소유자이기 때문이다.

나는 앞으로는 항상 행복하게 살고 싶은 사람이다.
-잘못된 선택을 하여 불행하게 살며 보낸 50여 년을 후회하고 반성하며, 남은 시간만큼은 행복하게만 살고 싶기 때문이다.

착각

　나의 어린 시절 중 외할머니댁에서 살았던 시절에는 아침에 나가면 동네 아이들과 냇가나 산을 누비며 저녁에나 돌아오는 말썽꾸러기 외손자였다. 동네 꼬마들의 대장이기도 했다. 뭐, 늦게 들어오는 거 빼고는 아주 건전하게 놀았다. 봄부터 가을까지는 물고기를 잡고 산에 가서는 산딸기와 잠자리, 매미를 잡으며 놀았으며 지금은 유치하지만, 총싸움도 참 많이 했던 기억이 난다 이렇게 늦게 집에 들어올 때면 외할머니는 "에이구, 이 녀석아. 너, 다리 밑에서 주워와서 이렇게 할머니 속을 썩이는구나!"라고 말씀하였다. 그때의 난 아주 큰 충격을 받아 펑펑 울고 또 운 기억이 아직도 생생하다. 할머니의 말씀이 사실이라는 커다란 착각을 했기 때문이다.

　지금까지의 나의 삶은 참 많은 착각을 하면서 살아온 듯하다. 그렇게도 말리셨던 첫사랑과의 사랑. 부모님께 반항을 아주 크게 한 이유도 이 아이와의 만남 때문이기도 하다. 우리는 영원한 사랑으로 이어질 거라는 착각과 함께 너무나 엄하셨던 아버지가 그저 이기

적이라고만 생각했던 착각 속에서 헤어나지 못했었다. 생각해보면 아버지 말씀 하나하나가 틀린 것이 하나도 없었음에도 말이다.

이곳에 오기 전까지 하루살이 인생을 살면서도 더 이상 떨어질 리 없다고 그날그날 생활에 어느 정도 안도와 게으름도 부렸던 그 시간도 잘못 선택한 착각이었다. 언제나 건강함이 지속할 거라는 착각 속에 지금 나는 180이 넘는 고혈압 환자가 되어 있었다. 지금은 1년 동안의 약 복용으로 140~150을 왔다 갔다 하지만 내 건강에 대한 과신을 한 착각의 벌인지도 모른다.

누구나 착각 속에 살고 있다. 그 착각이 행복한 착각일수도, 잘못된 선택에 대한 아픈 착각일 수도 있다. 그 결과는 본인 스스로의 행동에 따라서 당연히 바뀔 수 있다는 것을 나는 내 나이 쉰이 조금 넘어서야 깨달았다. 나는 지금 행복을 찾아 또 하나의 착각을 이어가고 있다. 이곳에서 밑바닥 인생이 되어버린 이 시간부터 직장도 나의 보금자리도 하나하나씩 찾아갈 수 있을 거라는 착각을 시작했다. 지금의 내 현실을 벗어나 행복해질 수 있을 거라는 나만의 착각을 하며 아주 조금씩 힘을 내고 있다.

1년 조금 넘는 이곳에서의 생활 속에 아주 큰 변화는 없었지만, 살짝 많이 놓았던 삶의 희망을, 아주 조금씩이지만 희망이라는 내 삶의 목표를 세워놓고 힘겹게 버티는 중이다. 이곳에서 만난 소중한 인연들도 영원할 수 있을 거라는 나만의 착각 속에 또 빠져 있지만, 한편으로는 또 희망을 이어가고 있다. 나의 이런 착각이 되어버릴지도 모르는 시점에 끊임없이 나를 응원해주고 배움의 길도 열어 주시고 일할 수 있도록 도와주시는 센터 선생님들이 있고, 동료들이 있어서 나는 조금씩 앞으로 나아가고 있다.

진오쌤, 진이쌤, 문경쌤, 주호쌤, 희라쌤, 제은쌤, 재진샘, 강실장님 등등 많은 센터 쌤들 선영쌤, 심리상담쌤, 홍갑쌤, 상희작가님, 겨울작가님, 노어진주임님 등등 많은 분의 도움을 받으며 또한 우리 같은 이들에게 멀리서 후원을 해주시는 모든 분이 계시기에 이런 행복한 착각을 이루고자 또 한 번 도전을 시작한다.

착각이라는 단어는 어쩌면 바램이라는 생각이 문득 들었다. 착각이 이루어지면 바람이 되니까!

이 절망적인 나의 삶이 희망적인 삶이 될 수 있을까? 수없이 세워봤던 목표들, 선택들, 아직 그 정답을 찾지는 못했지만 아직은 적어도 삶의 길을 놓지는 않을 것 같다.

세상에서 제일 맛없는

가만히 있어 보자…….

내가 만들어 본 음식 중에서 내 기억에 가장 맛없었던 음식은 무엇일까?

오래전 내가 초등학교 앞에서 국물 떡볶이를 처음 맛봤을 때 정말 깜짝 놀랐었다. 찐득찐득하지 않고 널널한 고추장 맛이 나는 달달한 떡볶이라는 것이 있구나 싶어서 이 정도면 나도 만들 수 있겠구나 하는 생각에 집에서 만든다고 도전했을 때 일일 거다.

본 건 있어서 깊고 둥근 프라이팬에 물을 한강처럼 부어 넣고 그 안에 고추장과 떡볶이를 넣고 끓이다가 어묵과 양파, 파를 넣고 완성했다. 그 맛은 상상 그 이상의 고추장 맛 나는 물이었다. 그 어정쩡한 맛은 아직도 기억에 생생하다.

긴급 수술에 들어간 나는 고추장을 더 투하했고, 칼칼한 맛을 위해 청양 고춧가루도 넣고, 단맛을 내기 위해 설탕도 과감히 투하했다. 수술을 마친 국물 떡볶이는 놀라웠다. 그 전 맛보다 더 상상할 수 없는 최고의 맛없는 국물 떡볶이가 되어버린 것이다. 그 뒤로는 떡볶이를 내가 만들어 먹는 건 포기하며 살았다. 졸업 후 20대 중반에 가 볼 기회가 있었는데 없어져 버려 몹시 실망했던, 내 기억 속 최고의 떡볶이는 아직도 내가 다니던 그때 그 초등학교 앞 문방구에서 팔았던 국물 떡볶이가 최고였다.

누군가가 나에게 만들어 준 음식 중에서는

누군가가 나에게 시간과 정성을 들여 요리를 해주었는데, '당신은 나에게 세상에서 제일 맛없는 음식을 만들어 주었다'라고 말할 수 있는 사람이 세상에 몇이나 될까?

난 절대로 말 못 한다. 고로 요리사에게 당신이 만든 요리가 세상에서 제일 맛이 없었다고 얘기할 수는 없기 때문에 요리사에 대에서는 일절 함구하겠다.

우선 그 맛이 없었던 요리가 어떤 요리였느냐면, 라면이었다.

라면이라고 하면 보통 맛이 없기는 참 어려운데…. 그 당시 라면 맛은 …. 어떻게 설명해야 좋을지. 그 당시 내가 먹었던 라면은 '너구리'였는데, 옛날 라면은 요즘처럼 건더기 수프가 풍성하지 않았고, 분말 수프만 있었다. 분말 수프도 요즘처럼 짭짤하고 자극적이지 않았다.

요리사님 집에는 플라스틱 손잡이가 양쪽에 달린 하얀색 스텐리스 냄비가 있었다. 그 냄비는 어머니들이 다섯 식구의 국을 끓이고도 이 틀은 더 먹을 양의 커다란 냄비였다. 나에게 요리를 해준 요리사님은, 설명한 냄비에 물을 한가득 붓고, 라면을 달랑 한 봉지 끓였다.

그 라면의 국물 냉수보다 비릿했고, 짠맛은 없었지만 무(無) 맛은 아닌…. 오묘한 맛이었다. 면발은 너무 푹 익어 흐물거렸으며, 본래 꼬불면이 특징인 라면의 구불거림은 찾아볼 수 없었다. 그래도 요리사님의 엄마가 만든 김치가 맛있었기에, 국물에 몰래 김칫국물을 섞어가면서 먹을 수 있었다. 내 혀는 괴로웠지만, 요리사님이 만족할 정도로 그릇을 비워냈다. 라면 맛은 세상에서 단 한 번도 먹어보지 못한 맛 없음이었다. 하지만 요리사님이 상처받을까, 꾸역꾸역 맛있는 척하면서 먹었던 기억이 새록새록 난다.

지금 돌이켜보면, 50대가 된 지금까지도 당시 20대였던 내가 먹었던 '그 라면'을 이길 수 있는 맛 없는 음식은 겪어보지 못했지만, 그래도 행복했다.

가장 맛없었던 음식점의 추억은

내가 20대 중반이 되었을 때, 나는 친구들과 함께 술자리를 가졌다. 1990년대 중반에 유행했던 호프집이 있었는데 지금은 이름조차 기억나지 않지만, 안주가 저렴했고 여러 가지를 시켜서 다양하게 맛볼 수 있어서 인기가 좋았다. 1차로 호프집에서 친구들과 즐거운 시간을 보내고 술을 그다지 좋아하지 않는 나는 멀쩡한 정신 상태로 2차에 참석할 수 있었다. 2차로는 감자탕집을 갔는데 감자탕에서는 정말 발가락 구린내보다 험한 누린내가 진동했다. 그 냄새 나는 걸 맛있게 먹던 녀석들을 이해할 수 없었던 그때가 생각난다. 그 감자탕 누린내의 충격으로, 나는 20여 년 동안 감자탕집을 쳐다보지도 않았다. 그렇게 시간이 흘러 내가 인력을 다니게 되었다. 인력을 다니면서는 어쩔 수 없이 먹어야 해서 먹기 시작했는데, 지금도 그다지 감자탕을 좋아하지는 않는다. 가장 맛없었던 음식점이지만, 친구들과 함께 웃고 떠들었던 추억이 있어서 생각이 나는 음식점이다.

음식이 아닌 다른 것에 대해 제일 맛이 없는 것을 꼽으라면, 무엇보다도 맛이 없는 건, 지나온 과거에 대한 후회이며, 나는 그 맛을 다시는 곱씹고 싶지 않다.

지금의 내가 있기까지 살아온 시간을 나는 계속해서 후회했었고, 지금도 후회하고 있고, 앞으로 후회하며 살 것 같다. 후회의 기억들은 매우 쓰고, 떫으며, 먹으면 마음이 아프다.
그중에서도 내가 가장 쓰고 떫은 맛이라고 느끼는 후회들은, 가족들과 관련이 깊다.
부모님을 슬프게 했던 젊은 날의 나의 행동들, 나를 매우 사랑해주셨고, 내가 매우 사랑했던 우리 할머니의 곁을 끝까지 지키지 못했던 일들, 막냇동생인 나보다도 엄격하게 자랐지만, 단 한 번도 일탈하지 않았던 공붓벌레 우리 형, 누나를 상처 준 기억들. 너무 쓰고 떫어서 다시는 곱씹고 싶지 않다.

반 백 년 살아온 지금 운이 좋다면, 운이 좋지 않아도 내가 노력한다면,
가장 행복한 맛을 앞으로 느껴볼 수 있을까?

내가 어린 시절 느꼈던 그 행복의 맛은, 우리 엄마, 아빠가 나에게 해주었던 사랑의 맛이다.
경상도 O형 남자 우리 아버지. 무뚝뚝하고 말수도 적지만, 자상하고 정도 많은 우리 아버지. 요리를 얼마나 잘하셨는지…. 아버지가 요리할 때면, 보글보글 끓는

생선조림은 매콤달콤한 냄새가 났다. 아버지는 갈치의 가시를 발라서 생선 살을 엄마와 내 밥 위에 각각 얹어주셨다. 고모에게 부탁하면 장어, 갈치, 고등어 등 신선하고 질 좋은 생선을 언제든지 먹을 수 있었다. 당시 아버지가 해주셨던 사랑이 담긴 요리의 맛이 아마 행복의 맛이 아닐까? 아빠가 해준 맛있는 음식을, 사랑하는 엄마와 함께 한 숟갈 떠 먹었을 때. 그때 그 따듯한 집 밥맛이 행복의 맛이 아닐까? 그 맛을 한 번 더 볼 수 있다면 좋겠다.

기억, 또는 추억

너무나 그리운

어머니, 아버지, 형과 누나와 함께 살았던 어린 시절은 언제나 기억하고 싶은 생각 중 하나이다.

그때는 너무 엄하신 아버지 그늘이 싫었지만, 가족들에게 한없이 사랑에 대해 주셨던 분이기에 미워하다가도 생각나는 분인 아버지. 항상 안쓰러움에 내 편을 들어주셨던 어머니의 사랑이 기억난다. 온 가족이 함께 살았던 시간이 그리 길지는 않았던 내 어린 날의 기억들.

아픈 기억

다섯 살인가 여섯 살 때부터 초등학교 들어가기 전까지 외할머니댁에서 살았던 나.

할머니와 지내면서 엄마에 대한 그리움을 할머니에게 쏟아 냈고 할머니는 나의 땡깡을 다 받아주셨다. 엄마 품이 그리우면 언제나 난 외할머니 품에 파고들어 할머니를 꼭 끌어안고 잠을 잤다. 내가 겁도 많고 엄마에 대한 그리움도 크다는 것을 아셨기에 그럴 때마다 나를 꼬옥 껴안아 주셨다. 그렇게 내 기억 속의 외할머니는 내가 원하는 모든 것들을 들어주시는 나에게 애틋

한 존재이셨다.

할머니와는 먹는 기억이 많았다. 밥도 늘 큰 대접에 가득 주시고, 지금은 못 먹지만 몸에 좋은 음식이라며 직접 꼬리곰탕, 우족 등을 직접 고아 주시거나 천엽, 선지 등을 요리해서 주셨다. 그때 당시에는 할머니가 해주시니까 멋모르고 잘 먹었다. 늘 그렇게 몸에 좋은 음식들을 부지런히도 내게 만들어 주시거나, 함께 식당에 가거나, 사 가지고 오셨다. 어린 시절 그때의 나는 가리는 것이 없을 정도로 식욕이 왕성했다. 일명 고봉밥에 많이 먹을 때는 반 공기 더 먹기도 했다. 특히 된장찌개와 돼지고기를 듬뿍 넣어주신 김치찌개, 국물 자글자글한 소불고기, 겨울이면 살얼음이 둥둥 떠 있는 동치미 한 그릇에 호박잎을 삶아주시기도 하셨다. 고봉밥 속에 날달걀을 넣고 참기름과 함께 비벼주셨던 날계란밥은 그 시절에는 최고의 요리이기도 했다. 조금 더 커서는 할머니가 중고등학교 때 짜장라면을 가끔 끓여주실 때가 있었는데 짜장라면을 잘 모르시니까 일반 라면처럼 물을 넣고 끓여주셨다. 그래도 할머니가 잘 모르시면서도 나를 위해 끓여주신 라면이니까 맛있게 먹었다. 맛이 있는 것은 아니었지만 그냥 할머니가 해주신 것은 무엇이든 군말 없이 잘 먹었다. 어쨌든 지금 내가 키가 크고 덩치가 좋은 것은 그때 할머니의 음식 덕분이지 않을까 생각한다.

꼬맹이 시절에는 내가 저녁때까지 집에 들어오지 않

거나 동네에 보이질 않을 때면 놀라신 모습으로 이집 저집 다니며 내 벗들의 엄마들에게 물으시곤 했던 모습도 기억이 난다. 저 멀리서 내 모습이 보일 때면 안도하시면서도 한편으로는 속상해 보이시는 표정을 지으셨던 그 모습도 생각이 난다.

더러워진 나의 모습에 손수 씻겨주시던 외할머니가 그때는 당연한 거라 내 생각만 했었고 시간이 조금씩 지나면서 감사함에 할머니 속을 덜 썩이면서 지냈다.

나는 학창시절부터 사람을 좋아했다. 친구들과 만나는 것이 즐겁고, 보고 또 봐도 매일 보고 싶었다. 그런 나와 다르게 우리 아버지는 내가 항상 집에 있길 바라셨다. 아버지는 내게 한 달에 한두 번 정도의 외출을 허락하셨고, 시간은 세 시간 남짓이었다. 학창시절의 나는 젊고 에너지 넘쳤으며, 아버지의 행동은 내게 반감을 불러일으켰다. 친구들은 공부도 잘하고 사교성도 좋았으며, 문제를 일으키지 않는 건강한 청소년들이었는데…. 아버지는 무엇을 걱정하셨던 걸까….

그때는 이해하지 못했던 아버지의 행동들이, 어른이 된 지금은 막내아들을 귀하게 키우고 싶었던 아버지의 마음이었던 것 같다. 그 당시 아버지의 마음을 이해하지 못했던 나는 밤 중에 몰래 담을 넘어 외출하기도 했고, 20대가 된 뒤에는 열흘? 거의 한 달을 가출을 하기도 했다. 가출했을 당시 나는 밤 중에 부산 해운대 앞바다에 앉아, 비 오는 날 우산도 없이, 비를 흠뻑 맞으며 눈물을 쏟아 냈고, 어느 밤중에 가서 하늘을 올려다보며 그리운 엄마에 대한 생각도 떠올려보는 시간을 가졌을 뿐인데…. 아버지는 어째서 그렇게 속상해하셨을까?

이러한 일들이 있고 난 뒤에 어쩌다 할머니와 가족 식사를 하는 자리에서 아빠는 할머니한테 속상한 마음에 이르듯이 '저 녀석이 또 말썽을 피웠네요.' 하면 할머니는 내 편을 들어주셨다. 아빠에게 나 대신하셨던 말씀도 기억난다. '자네가 너무 집에만 끼고 살려고 하니깐 그러는거지….' 라며….

할머니는 나를 보면 항상 웃으셨고, 어떤 일이 있을 때마다 항상 든든한 내 편이 되어주셨다. 아버지가 나에게 꾸중을 할 때면 할머니는 나 대신 내 입장에서 이야기를 해주며 아버지를 나무라기도 하셨다. 그런 할머니를 볼 때면 할머니가 나를 많이 사랑하신다는 것을 느낄 수 있었다.

커가면서 20대쯤부터는 아버지에 대한 나의 반항에 눈물을 참 많이도 흘리셨고, 속상해하셨던 모습도 기억난다. 그렇게 시간이 흘러, 내가 30대가 되었을 무렵, 누나를 통해 아버지와 할머니의 부고를 접하게 되었고. 나는 아버지의 임종도. 할머니의 임종도 지켜드리지 못한 것이, 사랑한다고 고백도 못 했던 것이 많이, 참 많이 후회스럽다.

기억하기 싫고, 버리고 싶은 기억들.

태어나 처음으로 신분증도 없이 오갈 데가 없어서 꽃게잡이 배를 타야 했던 기억. 새벽녘에 나가 저녁 늦게 들어오기를 반년의 시간. 차라리 바다에 빠져 죽는 게 더 좋을 거라고 생각이 들던 그때의 기억은 지워버리고 싶은 것 중 한 가지다.

그리고

일 년에 한 번씩 부모님의 마음에 대못을 박는 어리석은 짓을 했던 내 과오는 지워버리고 싶은 기억 중 하나이다.

내가 잘못 선택한 대가로 망쳐버린 지난 시간을 지우고 싶다. 아니 잊고 싶고 버리고 싶다. 누구 탓도 아닌 온전히 내 선택의 결과이기에 부끄럽고 후회스러운 이 현실을 지워버리고 싶다. 잊고 싶다.

잊는다는 것, 이 말은 참 묘한 단어이다.

내 부끄러운 과거의 일들을 잊고 싶고

너무나 사랑했던 그 사람과의 이별도 잊고 싶고

너무나도 소중했던 부모님을 원망했던 시간도 잊고 싶고

너무도 내 자신만만함의 선택을 지우고 싶다.

내 생에 좋은 기억들은 뭐였을까?

가족만을 가족과 함께 하는 시간만을 좋아하셨던 아버지, 어머니와 함께 떠났던 온 가족의 여행.
외식, 목욕탕을 갔던 기억
경양식집의 기억, 거제도에서의 마지막 아빠의 모습.
함께했던 시간은
좋은 기억이면서 아버지 곁을 마지막으로 떠났던 슬픈 기억들이다.

십 년 후에 지금의 나를 기억한다면 하고 싶은 기억이라면

지옥의 시간과도 같았던 시간에서 하나하나 이루어가면서 내가 머물 수 있는 내 보금자리에서 조금은 풍족한 삶을 살면서 나의 과오를 반성하고 마음을 다잡아보는 그 시간이 될 수 있었으면 좋겠다.

숨겨진 상처, 절망에 대하여

내게 숨겨진 상처라면 먼저 부모님을 원망만 했던 그때일 것이다.

중고등학교 때는 난 친구들과 놀 시간도 별로 없었다. 집 안에 있기만을 바라시는 엄한 아버지 때문이다. 물론 그 당시 허락받고 친구들과 놀 때 귀가 시간을 어겼던 내 잘못도 있지만, 저녁 식사 전까지는 무조건 들어와야 했기에 한 달에 한 번쯤 토요일에 몇 시에 나가건 일곱 시 전까지는 무조건 들어와야 했다. 서른이 되기 전까지도 이러했다.

이런 나 자신이 가여워서, 아버지가 미워서, 일 년에 한 번씩 저질렀던 가출의 그 시간이 지금에 와서는 아버지께 어머니께 너무나 죄송스러움의 상처로 남아 있다. 그러지 말걸!!

가정의 소중함이 늘 제일이었던 부모님의 마음을 헤아려 드리지 못했다는 죄책감이 최근 내가 삶에 실패하고 헤맬 때 더욱더 느껴졌다. 부모님 가슴에 대못을 박았다는 나의 잘못에 난 지금, 이 시각도 슬프다.

그리고 아버지와 마지막으로 함께 보낸 시간의 상처가 깊다. 아버지는 IMF 때 원하지 않던 명예퇴직을 하셨다. 그래도 가족들을 위해 오일장을 다니시며 기제도에 사시는 고모가 보내 준 말린 멸치를 파는, 꿈에도 상상도 하지 못했던 일을 하셨다. 건어물을 팔면서도 아버지는 자신의 평생 꿈을 나와 함께 하자고 하셨다. 아버지는 고기잡이배를 한 척 사서 함께 일하자고 하셨을 때 나는 너무나 엄하시고 무서운 아버지 곁을 떠나고만 싶어서 도망치듯이 나와버렸다. 그때는 외할머니도 계셨는데 나는 나보다는 형과 누나가 보살펴 드리는게 맞는다고 생각이 들어 그 곁을 떠나버렸다. 지금 생각해보면 나는 너무나 이기적이고 나쁜 사람이었다. 꼬맹이 시절부터 나를 아껴 주셨던 외할머니까지 밀어내버린 내 잘못된 선택이 나의 상처로 남아 있다. 그렇게 나는 몇 년 동안 연락을 끊었다. 나는 외할머니의 임종도 아버지의 임종도 보질 못했다. 어머니 때 또한 염을할 때야 도착을 해서 임종을 보지도 못했다. 살아오면서 이분들께 사랑한다고, 정말 죄송하다고 용서를 구해보지도 못했다. 아버지께는 살아생전에 그래도 사랑한다는 말을 전해드렸지만, 어머니와 외할머니께는 그러지 못했다. 다만, 외할머니께는 꿈속에서 무릎 꿇고 죄송하다고, 잘못했다고 엉엉 울면서 빌었는데 더 슬펐다. 엄마에게는 사랑한다는 말도 못 해 드려 죄송하고 너무 많이 마음이 아프다.

형과 누나에게 너무나 미안한 마음 또한 숨겨진 상

처이기도 하다. 형은 아버지가 병환으로 누워계신 4년 동안 병간호와 고시 공부를 병행하며 지금의 형수님과 함께 많은 고생을 했다. 아버지는 돌아가시면서도 나의 걱정을 제일 많이 하셨고, 너무 엄하게만 대해서 미안하다는 유언을 남기셨다고 한다. 나는 더 큰 죄책감과 죄송스러움을 느꼈다. 외할머니는 누나와 매형이 병간호를 몇 년간 했으며 어머니는 형네, 누나네가 함께 몇 년 동안 병간호를 했다고 한다. 어머니의 유언은 말썽쟁이 막내인 나를 형과 누나에게 부탁하셨다고 했다. 나는 외할머니, 아버지, 어머니께 아무것도 해드리지 못했으며 아픔과 상처만 드렸는데도 이분들은 온통 내 걱정뿐이셨다. 이런 손실이 나에게 상처이며 절망스러움일 것이다. 나의 불효와 나의 잘못된 행동과 선택들이 나는 너무나 저주스럽기까지 하다.

내가 해드릴 수 있는 건 늘 이렇게 죄스러움과 후회뿐인 삶을 사는 것이라 생각했었다. 행복하게 살 권리도 나에게는 없다고 생각했고 다시는 형과 누나에게 짐이 되어서도, 아픈 상처를 주어서도 안 된다고 생각하며 살았다. 지난날 나는 누나에게도 형에게도 큰 실망과 상처를 주었다. 정말 일부러 그런 건 아니었지만, 결과적으로 그렇게 되어버렸다. 내가 생각해도 나의 행동들은 지금 생각해보면 너무 단순하고 잘못되었다고 느낀다.

나는 앞으로 살면서 내가 사랑하는 마지막 가족인

형과 누나를 만나지 않을 것이다. 성공한다면, 만약에 내 삶이 반전되어 조금이라도 일어선다면 그저 멀리서나마 도움을 주겠지만 만나는 건 용기가 나질 않고 솔직히 싫다, 못난 나 자신 때문에.

그냥 그들이 영원히 행복하기를 멀리서 기도드릴 뿐이다.

탈것에 대하여

꼬맹이 시절

아주 오래전 일이지만 꼬맹이 시절에 탔던 버스.

그때는 안내양 누나가 있었다. 그 시절을 모르는 이들은 영화나 드라마 속에서 봤던 그 누나들을 난 참 많이도 봤다. 그 어려운 걸 해냈다. 지금에 생각해보면 아련해지고 먹먹해지는 마음도 문득 생겨났다. 그때의 나의 외모는 귀엽고 잘생긴 덕에 많은 안내양 누나들이 차비를 받지 않았던 것이 아직도 기억이 난다. 지금의 내 모습이 배불뚝이에 눈가에 다크서클이 주렁주렁 나 있지만

포니2 택시를 탔던 기억도 덤으로 생각이 난다. 그때 요금이 아마도 몇백 원인가 했던 것 같다. 복주머니를 차등에 단 택시를 타면 더 좋았던 생각도 나고.

꼬맹이 시절에 가장 소중했던 탈것의 기억은 아마도 아버지께서 가르쳐 주셨던 두발자전거가 아닌가 싶다. 이것 또한 영화나 드라마처럼 처음에는 두 손 꼭 뒤 안장을 잡아주셨고 어느샌가 두 손을 놓으시는지도 모르고 안심한 채 조금씩 앞으로 나갔던 기억도 난다. 그때는 내가 살짝 반항도 안 했던 어리고 어린 막내아들이었기에, 아버지는 무섭지 않으셨다. 그래도 엄하시긴

하셨지만.

중학교 때부터 고등학교 1학년 때쯤까지 자전거 타는 걸 좋아했고 지금은 사라진, 아니 작아진 여의도 광장에서 신나게 달리던 기억 또한 생각이 난다. 롤러스케이트는 전진은 그런대로 했지만, 정지가 안 되어서 멈출 때까지 쭈욱 앞으로만 들렸던 기억도. 하나하나 끄집어 보면 먼 예전의 일들이지만 소중했던 추억이 참으로 많은 것 같다.

중·고등학교 시절

수학여행 때 탔던 버스. 친구들의 댄스와 노래 실력을 맘껏 보았던 시간이었다. '물안개'를 부른 나의 목소리에 고운 소리라고 칭찬해주신 담임쌤의 말도 생각이 난다. 정말 수줍게 불러서 많이 창피했던 순간이었지만.

고등학교 때는 보이스카웃(연장대)활동으로 길 한가운데서 교통정리 봉사를 하였다. 그럴 때면 지나가는 버스 안 유리창 사이로 여자아이들의 "오빠~! 잘생겼어요!."라는 말을 참으로 많이 들었다. 밥맛이라고 할지 모르겠지만 그때의 나의 외모는 뭐 예술고등학교를 갈 만큼은 생겼던 것 같다.

성인이 되어서는

나잇값도 하지 못할 가출을 하며 탔던 부산행 고속버

스가 생각이 난다. 강남 고속버스터미널부터 부산까지 가는 시간 내내 펑펑 울었던 기억도. 해운대에서 광안리 앞바다에서 한없이 울기만 했던 기억이 많이 생각이 나며 후회도 많이 된다. 사랑하는 부모님 속을 많이 썩인 나의 행동이 참으로 싫으며 나 자신을 난 지금도 원망하고 있다. 아버지가 너무 무섭다는, 친구를 못 만나게 하신다는 못난 핑계와 변명을 늘어놓았던 나의 어리석음을.

설렘의 순간도 나에게도 있었다.

첫사랑을 만나러 가기 위해 탔던 좌석버스와 택시를 탔던 기억이다. 이때 택시는 일명 합승이 가능했던 시절이었다. 종로에서 금정역까지 가기를 얼마나 합승을 많이 하며 갔던지 늦어도 30분이면 갈 수 있는 거리를 정말 2시간 정도까지 걸러가며 간 기억이 있다. 그렇게 힘들게 가서는 5분, 10분 정도 얼굴 보고 바로 집에 와야 했던 그때 그 시절. 3년 정도 그렇게 지낸 것 같다. 내 기억이 맞다면.

어느 순간부터는 일명 기사님들과 타협을 하며 기본요금보다 2~3배를 물어주며 첫사랑을 만나기도 했다. 그럼 함께할 수 있는 시간이 길어지기에 돈 걱정 없이 산 나에게는 나름 현명한 선택이었다. 또한, 첫사랑과 헤어진 후 잠깐이지만 함께 했던 사람을 위해 다녔던 아웃소싱 직장을 가기 위해 탔던 통근버스. 40대에 오롯이 나 혼자 하루살이 인생을 살기 위해 탔던 택배 통근버스. 나의 삶에 있어 참 많은 의미를 느끼게 해준 탈것의 기억들이다.

그리움, 치유에 대하여

나에게는 그리움을 치유할 자격이 없는 거 같다.

내 삶에 있어 지금의 나에게 그리움의 존재는 분명 어머니, 아버지, 외할머니에 대한 그리움이다. 그리고 첫사랑이었던 그 아이에 대한 기억도.

난 20살이 되어서는 거의 일 년에 한 번씩은 크고 작은 반항을 하며 지냈다. 대부분 약속 시간을 어기고 늦게 들어오는 나의 잘못이었지만.

아버지께서는 약속을 중히 여기셨기에 단 한 번의 실수도 그냥 넘어가시지는 않으셨다. 난 이 시기에 아버지와의 약속을 지키면 친구들에게 욕을 먹거나 이해를 구할 수 없는 시기이기도 했다. 꼭 한쪽에게는 신의가 없는 존재가 되고는 했다. 지금 생각해보면 다 내 잘못으로 인한 결과물이라는 걸 너무 늦게 깨달았다는 것이 후회스러울 뿐이다. 어린 시절 아버지께서 퇴근길에 사다 주신 시장 통닭이 그립고 어머니께서 백숙을 먹지 않는 나를 위해 만들어 주시던 닭도리탕, 도시락을 사주실 때면 친구들과 나눠서 먹으라면서 2~3개의 반찬통을 사주시던 그 시절. 엄마와 떨어져 살 때의 안쓰러움으로 외할머니가 해 주셨던 김치찌개, 꼬리곰탕, 선지, 천엽. 지금은 못 먹지만 그때는 맛있게도 먹었던 그 맛이 그립다. 이 행복을 나의 못난 행동에 모두가 사라져버렸다.

착한 막내아들이었다면 아직은 함께 곁에 계실 수도 있었을 거라 난 생각한다. 내가 너무나 어리석은 행동을 저질러서 그럴 때면 늘 속상해하셨던 어머니, 아버지 외할머니의 환히 웃으시는 모습들이 너무나 그립다. 이 그리움이 옅어지는 방법은 내 기준으로는 없는 거 같다. 큰 죄책감만 느껴질 뿐.

문득 생각이 난 건데 고등학교 시절 입맛이 갑자기 짧아져 밥을 안 먹고 갔던 시절에 어머니는 식탁에 마주 앉으시고는 반찬을 하나하나 집어 주시고 다 먹을 때까지 기다려주셨던 그 시간이 아주 많이 그립다. 자격은 없지만.

사랑, 그 쓸쓸함에 대하여

사랑이란 참 어렵다.

그래! 사랑 참 쓸쓸한 게 맞는 거 같다. 영원할 수도 있지만, 나의 지나온 사랑은 참 슬펐다.

내성적인 나의 성격 때문에 나는 누군가를 먼저 사랑해 본 적이 없었다. 첫사랑과의 만남도 그랬고 마지막 만남까지도 그러했다. 이런 나의 사랑은 언제나 늘 아팠고 후회스러웠고 너무나 슬픔의 시간이 되었다. 돌이켜보면 아니 지금도 난 사랑을 모른다. 영원할 수도 있겠지만 나에게는 이런 행복이 없을 거라 생각한다. 표현도 서툴렀고 내 사랑하는 마음만이 더 크다는 착각에 그 사람의 마음을 헤아려주지 못한 나의 지난 시간. 생각해보면 쓸쓸함이 밀려든다.

영화 속의 한 장면 같았던 인천의 어느 자그마한 바닷가가 있는 섬에 들어가서 마지막 배를 일부러 놓치며 정말 손만 잡고 하룻밤을 보냈던 순간! 아버지의 허락을 못 받아 약속 시각을 지킬 수 없어서 몇 시간을 바람맞혔던 그 시간.

그 시대에는 지금은 흔한 핸드폰도 없었던 때였기에 마냥 기다려야만 했던 그 아이에게 난 아직도 미안한 마음이 남아 있다.

난생처음 첫 외박이자 첫사랑과 함께했던 시간!

친구 커플들과 함께 갔었던 경포대. 이 또한 영화와 드라마에서나 나올듯한 민박집 한곳에 방 한 칸에 다섯 커플 즉 열 명이 옹기종기 모여 즐겁게 지내다 보면 한커플 한커플 사라져버려 결국 나와 한 커플만이 밤을 지새웠던 시간마저 그립다.

복도 지지리 없어 3박 4일 동안의 시간을 태풍 때문에 방 안에서 지내다 마지막 날에 활짝 개었던 하늘을 원망했던 그 시간도 그립다.

우리 가족들이 마지막이 되었던 당일치기인 여행

냇가에서 물고기를 잡고 놀고, 불판에 고기를 구워 먹었던 그 시간 다시 함께할 수 없기에 슬프다.

아버지의 잔소리마저 그립고 어머니가 해주신 음식들 그중에서도 닭도리탕 된장찌개가 더 많이 생각난다. 나의 어릴 적 동무들과의 그 짧지만 소박했던 즐거웠던 그 시간이 너무나 그립다.

지금의 나에게는 그리움이 후회만이 온통 가득 차 있다.

지난 스물, 오는 여든

20.

후회 가득한 스무 살! 나의 20대의 시절이었다. 처음으로 어머니, 아버지께 반항을 시작한 때였고 두 분 마음을 아프게만 해드렸던 시기였다. 꽁당꽁당 가슴 뛰는 첫사랑을 만난 때이기도 했으며 8년이라는 시간이 지난 후 남이 되어버린 아픈 시기이기도 했다.

아쉬움이 없는, 가지고 싶었던 건 거의 모두 다 가질 수 있는 시기였으며 또한 나의 모든 것 아니, 우리 가족의 모든 것을 다 잃어버린 시기이기도 하다. 온 가족이 뿔뿔이 헤어지게 된 시기였으며 난생처음 내 힘으로 돈을 벌어야 했던 때이기도 하다. 잘 곳이 없어 숙식 제공이 되는 곳을 찾아 헤매기도 하던 때였다. 돈한 푼이 없어 이틀 동안 아무것도 먹질 못했던, 삶을 포기하는 시도까지 해봤던 시기이기도 했다.

나의 20대는 너무나 잔혹했고 최악의 시간이었다. 이 책임이 나에게도 있다고 나는 지금껏 생각하고 후회하며 살아왔다. 누구나 처음은 실수할 수 있다고 하지만 내가 처음으로 겪은 20대는 그런 위로를 받을 자격이 없다. 너무나 철이 없었음에.

80.

와! 나에게도 여든 살이라는 삶의 시간이 주어질까?

나는 우리 집 남자의 수명이 유독 짧음에 아주 큰 기대는 하지 않고 있다. 부모님께 불효를 저질렀던 나였기에 나는 지금껏 오래 살 생각조차 하질 않았다. 지금의 나는 내심 100세 이상을 욕심내고 있다.

인생이 백 세까지라면 이제 나의 주어진 절반 정도의 삶을 나는 행복해지려 한다. 지금도 새치가 많은 나의 머리카락은 거의 백발이지만 80대에는 정말 온통 백발이 되어있을 텐데 왠지 슬퍼지고 우울해진다. 치매에 사람을 못 알아보는 바보가 되어버리는 건 아닌지, 지금보다 더 잘못된 삶을 살고 있는 건 아닌지, 아니면 지금처럼 나의 지나온 잘못을 후회만 하고 살고 있는 건 아닌지 조금 걱정은 되지만 뭐, 다 내가 현재하기 나름이리라.

나의 80대는 인자한 표정의 나이든 평범한 노인이기를 바라본다.

내 집 앞마당 텃밭에 고추랑 상추, 토마토, 오이 등을 심고 울타리에는 장미꽃을 심어 달콤한 향을 맡으며 아침을 여는 노인이 되고 싶다. 지난 온 30년을 회상하며 잘 살아왔노라며 스스로 토닥토닥 위로와 칭찬을 해주고 싶다. 가보지 못했던 방방곡곡을 하나하나가 보고도 싶은데 그것은 나의 버킷 리스트 중 하나이기도 하다.

또, 그때의 20년 후인 100세를 기대해 볼 것 같다. 큰 욕심이겠지만 아마 이때쯤이면 의술의 발달로 150세까지도 살 수 있을 거라는 다소 황당한 바람을 가져 볼 것도 같다.

유치하지만 아마도 80대에는 이런 생각을 하지 않을까 싶다. 사람 생명의 존재는 현생에서 끝나지 않는다고 본다. 단지, 생각을 하지 못할 뿐. 영혼이 되어버리든지 아니면 또 다른 존재가 될지라도 영원할 거라 믿는다. 열심히 삶을 살아가다 숨을 거두고 그걸로 모든 것들이 사라지고 끝난다면 정말 허무할 것이기에.

인류의 탄생 과정을 예를 든다면 공룡들과 함께 살던 인류의 조상님들이 돌도끼를, 나무창을 만들 수밖에 없었던 분들이 시간이 점점 흐르며 갑자기 이 모든 것들을 창조했다는 건, TV 속에 사람들이 이 모든 것들이 나올 수 있다는 건, 인터넷·컴퓨터를 넘어 AI를 창조해 인간의 모든 것들을 뛰어넘는 신기술이 저절로 발전될 수 있는 건지 나는 이해할 수 없다. 이 삶의 모든 것들을, 바이러스와 약을 누가 어떻게 그럴 자격이 있는 건지 그것이 맞는 것인지 아주아주 유치하지만, 매트릭스 장면처럼 그런 존재들인 것인지….

꿈인지 현실인지도 모르는 시간을 되풀이할지.

이런 황당한 생각을 하고 지내지 않을까 싶다.
아마 정신 나간 노인네로….

에필로그

한마디로 후회스러움!!
아무리 생각해봐도 모든 것들이 그러하다.
부끄러운 내용이지만 내가 살아온 나날들의 이야기며
후회밖에 할 수 없는 지금의 내가 되어버렸다.

지금 현재 부모님의 마음을 이해하지 못하는 분들이
계신다면
한 번쯤은 그분들의 입장에서 생각을 해봤음 좋겠다.
나중에 본인들이 그 부모님의 자리가 되어버렸을 때
혹시 후회할 수 있음에.
이런 아픈 선택은 나 말고는 안 했으면 좋겠다는 바람
이다.

왜 나의 아이들이 속을 썩일까?
라고 생각하시는 부모님들이 계신다면 한 번쯤
이 아이의 마음을, 상황을, 헤아려 봤음 좋겠다.
아이들은 모든 삶의 행동과 행동들이 처음이기에
그럴 수밖에 없겠구나 하며 이해를, 나도 그때는 그랬
었지라는 이해를.
서로의 입장을 단 한 번이라도 생각할 수 있다면
적어도 아픈 기억 하나하나는 사라질 수도 있음을

잊지 말았으면 좋겠다.

이 세상 모든 이들에게 사랑이, 사랑만이 가득했음을
바라며
또한, 다시 한번 지금의 우리에게 큰 힘이 되어주는
강실장님, 진이쌤, 주호쌤, 희라쌤, 문경쌤, 진오쌤, 재
진쌤, 제은쌤등등 센터쌤들.
우쿨렐레 선영쌤, 홍갑멘토쌤, 목공 강사쌤, 바리스타
강사쌤, 겨울 작가쌤, 상희 작가쌤, 노어진 주임님 등등
그리고 나의 소중한 이곳에서 만난 동료들에게 감사함
을 전하고 싶다.
마지막으로 우리 같은 이들에게 큰 힘이 되어주시는
모든 고마우신 분들께도 감사드린다.

네 번째 클로버

작가   김준환

프롤로그

나는 이런 사람이다.

나는 강아지를 좋아한다.
나는 노래하기를 즐기며 잘한다고 생각한다.
나는 두꺼비를 정말 오랜만에 보았다.
　　　요즘은 보기 힘들었는데 볼 수 있어서 상당히 감사하게 생각했다.
나는 라일락 꽃을 보면 첫사랑이 생각난다.
나는 미루나무 가지에 걸려있는 뭉게구름을 사랑한다.
나는 바닷가 모래사장을 걷는 것을 즐긴다.
나는 사랑하는 예쁜 딸이 있다.
나는 일탈을 가끔 꿈꾸지만 힘든 일이라 생각한다.
나는 자전거를 정말 오래 타고 다녔다.
나는 초승달을 보는 걸 좋아한다.
나는 칼을 다루는데 항상 신중하다.
나는 타고 다니는 것 중에서 모터바이크를 좋아한다.
나는 파란 하늘을 항상 마음속에 상상한다.
나는 형이 있는 사람들이 항상 부럽다.

지금도 싫어하는 그것

12간지의 한 바퀴를 도는 그해 늦은 가을 저녁.

난 그때 내가 생각하기에 최악의 음식과 마주치고 만다. 그것은 찐 밤. 나무에 열리는 밤을 찐 것 말이다. 왜 그렇게 생각하냐 하면 약간의 설명이 필요하다.

12살 이전에는 줄곧 서울에서 살았다. 시골 경험이라곤 청주에 있는 목장에 방학 기간에 며칠간 다녀오고 또 외가인 서산에 잠시 다녀올 뿐이었다. 그냥 서울에서만 생활하던 내가 시골로 이사를 하게 되었다. 무엇보다 문화적인 면, 시설의 문제가 가장 크게 다가와 조그만 아이의 생활에 혼란을 주기 시작했다.

또한, 할아버지 할머니와 삼촌, 고모들과의 이별도 상당히 힘들었다. 하여간 그렇게 불쑥 시골로 이사를 해서 생활하다 보니 모든 게 막막하고 걱정이 됐다.

그런 어려움 속에서 학교생활을 하고 있을 때 가을 수확기가 다가와 집에서 재배하고 있던 밤나무에서 밤을 수확하게 되었다. 일꾼들을 하루에 열댓 명씩 써가며 밤을 수확했고, 집 뒷마당에 모으기 시작했다. 한 달여 시간이 흐르고 쌓여 있는 밤의 양은 어마어마했다.

그래서 집안 식구며 동네 아주머니, 일할 수 있는 모든 사람을 동원해 밤을 까고 분류하는 작업을 이어가고 있는 그 어느 때 저녁, 저녁 식사로 어머니께서 내놓은 것은 바로 찐 밤이었다.

　동생들은 아무 생각 없이 그저 웃으며 어머니께서 주신 그걸 넙죽넙죽, 마치 제비 새끼가 먹이 받아먹듯 맛있게 먹고 있는 모습을 바라보니 난 도저히 먹을 수 없었다.

　밤 하면 거의 모든 사람이 싫어하지 않은 음식이지만, 난 조금 다르다. 일단 단맛이 강하다는 것. 내 기억 속의 맛이란, 단 것은 거의 접하지 않고 살았고, 그 이유는 할아버지께서 아주 어렸을 때부터 단것을 먹으면 안 좋은 것에 대하여 주입식으로 교육을 했기 때문에, 또 그것에 맞추어 살아온 듯싶다. 그렇기에 기껏 입속에 들어간 것은 한두 톨에 불과하고 나머지 허기짐은 곁들여 나온 감자로 배를 채울 수밖에 없었다.

　그래서인가, 지금껏 먹어본 것 중에서는 그때 그 찐밤. 그것이 내가 최악으로 느꼈던 식사였다.

훗날 성장해서 그 일을 어머니께 말하면 그냥 웃으시며 "그랬니?" 하신다.

난 오늘날도 밤은 웬만하면 입에 대지 않는다. 남들은 좋다고, 맛있다고 하는데……

그리운 내 할비

언제부터였는가, 잘 모르겠다.

저녁 해 질 무렵이면 누군가의 얼굴이 잔잔히 떠오른다. 그 얼굴의 주인공은 다름 아닌 나의 할아버지 얼굴이다.

그분을 처음 느꼈던 것은 약간은 가물가물하지만 내 기억 속의 그때는 아마도 2살 무렵이었을 것이다.

엄마 뱃속에서 태어나 젖먹이 시절을 보내고 그 후엔 할머니 품에서 지내게 되었다. 그렇게 지내는 과정에서 문제가 발생했다. 다름 아닌 할머니의 흡연이었다. 콩알만 한 난 그 담배 냄새가 너무도 싫었다. 그래서 대처 방안은 할아버지였다. 할아버지는 담배도 술도 안 하시는 정말 신사 같은 사람이었다. 그런 일로 인해서 난 할아버지의 너그럽고 편안한 품속으로 자리하게 되었다.

그리 지내기 전에도 그랬지만 할아버지는 나란 존재를 손자 이상으로 대해 주신 것 같다.

할아버지와 한방을 쓰고 난 후부터 거의 모든 시간을 그분과 보내게 되었고, 그런 시간이 지나며 걸음걸이부터 식사하는 방법, 표정, 인사하기, 말하는 방법 등 일일이 나열하기 힘들 정도로 모든 것을 지도해 주셨고 틀린 것을 교정해 주시는 것에 소홀하지 않았다.

그분으로부터 모든 것을 학습했기에 난 나도 모르게 그분과 너무도 닮은 또 하나의 개체가 되어가고 있었다.

그분께 처음으로 스케이트를 배웠고, 수영을 배웠으며 연 날리는 방법도 배웠다. 스케이트를 배운 후론 매일 같이 제3한강교 아래 상설 스케이트 장에서 하루종일 스케이트를 즐겼다.

할아버진 팔순이 다된 나이셨는데 정말이지 멋지게 얼음 위를 마음대로 돌아다니셨다.

그렇게 겨울을 보내고 난 국민학교, 지금의 초등학교에 입학하게 되었다.

말이 지금의 강남 신사동이지 나 어릴 때는 시골이었다. 초등학교는 신사동에서 잠원동 지금의 반포아파트 뒤쪽에 자리 잡은 학교였다. 우리 집에선 걸어서 약 30분 정도 걸리는 거리였다.

거리가 좀 멀다 보니 입학식 한 날부터 매일매일 내 곁에서 같이 움직여주셨다. 교실 수업시간까지 같이 보내신 할아버지.

우리 선생님들은 얼마나 불편하셨을까. 그게 무슨 난데없는 시집살이란 말인가.

학부모가 수업 참관을, 그것도 매일, 나라면 절대로 용납할 수 없는 상황이었을 것이다. 그래도 학교 선생님의 배려로 2년이란 학교생활을 보내고 3학년 때부터 집안 식구의 설득과 만류로 등굣길 할아버지의 동행은 끝을 맺었다.

나로선 홀가분하기도 했지만, 한편으로는 허전하고 서운했었다.

그 후 4학년 때 아버지의 사업 관계로 다시 강북으로 이사를 해서 할아버지, 할머니, 삼촌, 고모와 이별하고 아버지, 어머니 동생들과 따로 분가했다.

난 난생처음으로 할아버지와 떨어져 생활하게 되었다. 그 일은 등굣길 동행을 마감했을 때 보다 몇 배는 더 큰 상실감과 허전함을 맛보았다.

하지만 그때까진 같은 서울 하늘 아래 살고 있었기에 버틸 수 있었다.

진짜 큰일은 그다음이었다. 1년여 시간이 흐른 후에 우리 식구는 어머니 친정 근처인 서산으로 이사를 하게 된 것이다.

시골로 이사하기까지 할아버지, 할머니의 반대가 무서울 정도로 심하셨다.

내 아버진 그런 반대를 무릅쓰고 이사를 단행하셨다.

이런저런 사연 끝에 이사를 와보니 전기도, 수도도, 교통편도 거의 여의치 않은 곳이었다. 서울에 살고 있을 때도 방학 때면 며칠씩 다녀오던 곳이라 낯설지는 않았지만, 그곳에서 계속 생활해야 하는 것이 너무도 힘들게 느껴졌다.

하여간 그렇게 시골 학교의 생활은 시작되었고, 그렇

게 잘 적응해 가고 있었다. 문제는 통학 거리가 너무 멀다는 것이었다. 학교까지 11km나 되었기 때문이다. 걸어서 최소한 1시간 40분이 소요되는 거리였다.

학교 다녀오면 집 마루에 걸터앉아 그저 멍하니 있는 게 일상이 되었다.

어려운 등하교를 하고 지내던 어느 날 서울에서 할아버지가 놀러 오신 거다. 너무나 반가웠고 좋았다. 할아버지가 홀쭉해진 날 바라보는 눈빛이 지금도 기억난다. 안쓰러움이랄까.

할아버지가 서울로 돌아가시고 얼마의 시간이 흘렀을까. 이번엔 완전히 짐을 챙기셔서 오신 것이다. 그러나 나 혼자만 좋아한 것 같았다.

그 당시 난 학교에서 스카우트 활동을 하고 있었다. 서울 같지는 않았지만 나름 열심히 활동에 임하고 있었다. 그러던 어느 날 스카우트 행사로 좀 먼 곳으로 지도 선생님과 대원들이 점심 도시락을 준비해서 막 먹으려고 하는 순간 어디선가 할아버지의 목소리가 들리는 것이었다. 난 너무도 기쁘고 죄송했다. 내가 올 때도 무척이나 멀어서 힘들게 느꼈던 먼 거리였기 때문이다. 그건 습관이었다. 서울에서도 소풍 때만 되면 어김없이 많은 먹거리를 가지고 날 찾아주신 할아버지.

그렇게 시골 생활을 하던 중 여름방학 때 내가 우겨서 산속 암자에 공부한다고 들어간 것이다. 그곳은 우리산 뒤편의 조그만 암자였다. 나름 걱정이 돼서 그러셨는지 날 보러 오시다 할아버지는 그만 산속에서 실종이 되었다. 아침에 일어나보니 아버지께서 날 찾아오셔서 지난 밤에 있었던 사실을 말씀해 주셨다. 밤새도록 산속에서 혼자 계셨을 할아버지를 생각하니 뭐라 형언할 수 없는 심정이었다. 그 일 후로 할아버지의 건강상태가 급격히 나빠지셔서 대전의 작은 집으로 모시게 되고 난 또 할아버지와 헤어지게 되었다.

그 헤어짐이 나에겐 할아버지와의 영원한 헤어짐이었다.

대전에서 할아버지가 돌아가시고 우리가 살고 있던 산에 할아버지를 모셨다.

그 후로 난 시간 있을 때마다 그곳을 찾는다. 산소 앞에 텐트를 치고 벌초도 하고 야영을 하며 할아버지를 느끼고 오곤 한다.

나 때문에 돌아가셨다는 생각은 지금도 지울 수 없는 내 기억이다.

난 나 자신을 원망할 수밖에 없었다.

내가 사랑하는 그분, 날 누구보다 아끼고 사랑하셨던 그분을 난 그렇게 보내고야 말았다.

내게 무한한 사랑을 주시던 그분.

내 사랑하는 할비 안녕!

순간의 착각이 생명을 앗아갔다

부시럭, 부시럭

칠흑 같은 어둠 속 불과 2~3m 앞에서 들리는 수상한 소리.

온몸의 감각이 초긴장 상태에서 방어 태세를 갖추는 순간 뭔가 달려드는 느낌과 동시에 내 발은 힘차게 앞으로 뻗어 나가고 있었다. 뭔가 내 발에 충격이 느껴졌고 곧, '끼깅' 하는 소리가 들렸다. 이 상황은 사회에선 있을 수 없는 일이다. 당시 상황은 강원도 최전방 부대에서 심야 야간 경계근무 때의 상황인 것이다.

그날은 선임 대신 근무에 투입되어 있었다. 부대 특성상 우린 조교 한 명과 훈련병 두 명이 근무지에 투입되어 조교는 2시간, 신병들은 1시간씩 야간 근무를 수행하고 있었다. 한 중대에 조교 기간병 이래 봐야 10명 남짓한 상태였다.

그날도 하루의 피곤함을 뒤로하고 신병들에게 앞으로 근무지에서 군 생활에 도움이 될 수 있는 여러 가지를 얘기하고 있었다. 가을바람이 스산하게 얼굴을 스치고 있을 때 그런 일이 발생한 것이다.

그곳은 아주 가끔 야생 산 짐승이 출몰하고 있었다. 그러기에 항상 긴장하고 있는 상태였다. 그 긴장 상태가 그날의 화근을 키웠다. 상황이 벌어진 후 난 상대가 누군지, 아니 무엇인지 확인하고 아연실색할 수밖에 없었다. 그건 11중대에서 애지중지, 아니 모든 대대원이 사랑으로 키우고 있는 '땡하사'라 불리는 잘생긴 개였다. 순간 눈앞이 캄캄하고 내가 무슨 행동을 했는지 너무나 후회했다.

그렇게 우리를 잘 따르고 귀여움을 떨던 땡하사, 그런 땡하사를 나의 발차기 한방으로 보내게 되어서 정말 가슴 아프고 그런 일을 벌인 내가 싫었다.

꼬리치며 엉겨 붙던 그 애,

미안하다, 미안하다. 내 순간의 착각으로 널 보내게 되어서……

부디 다음 생에선 좋은 부모님을 모시고 행복하게 생을 누리길 빌며.

절망, 또는 희망

극단적인 선택 앞에서

휘~휘~ 눈발이 하염없이 내리고 있었다.

나는 조그만 공원 벤치에 앉아서 눈을 온몸으로 맞고 있었다. 지나간 날들을 하나하나 회상하며 내가 이 자리에 왜 있어야만 하는가를 생각하며 얼마 남지 않은 담배를 떨리는 손으로 꺼내서 입에 물고 라이터를 켰다. 가슴 깊숙이 한 모금을 빨아들이고 생각했다. 이렇게 살아가는 것보다 생을 마감하는 게 더 좋을 것 같았다. 만약 그렇게 죽어버린다면 죽은 사람이야 뭘 알 수가 없지만, 살아있는 아이들이 내 모습, 아빠를 보며 얼마나 큰 충격을 받을까 생각하니 쉽게 결정할 수 없었다. 그래서 지구대에 연락했다. 전화가 정지상태였지만 긴급통화라서 가능한 일이었다.

지구대에 내 심정을 얘기하니 무조건 조금만 기다려달라고 하며 내가 있던 공원까지 출동했다. 그리고 짧지 않은 시간을 날 위해 노력하는 경찰관이 너무도 고마웠다. 어찌 보면 그냥 지나칠 수 있는 상황이라고 해도 과언이 아니었다.

그도 그럴 것이 술을 먹어서 정신 나간 사람의 술주정이라고 생각할 수 있는 상황이었던 거다. 경찰이 도착하고, 그 뒤로 소방서에 119엠블런스 차량도 도착했다. 그렇게 조용한 공원의 심야 시간은 바쁘게 지나가고 있었다. 경찰관은 격양되어 있던 나를 거의 상담사 수준으로 달래어 마음을 차분하게 만들어 주었다. 순간의 선택이 얼마나 중요한지 지금에 와서 생각을 해보니 그때의 상황이 소름이 끼칠 정도로 촉박했다는 것을 알 수 있을 것 같다. 모든 것을 내려놓으려는 그때, 그 경찰관은 내 인생에 전환점을 만들어 준 사람이라고 생각한다. 그분이 여러 군데를 수소문한 끝에 '노숙인 지원센터'란 곳과 연락이 돼서 나를 그곳으로 인계해 주었다. 난 감사하다는 말과 언젠가 찾아뵙겠다는 인사를 끝으로 시설 관계자분과 잠깐의 입소 상담을 했다. 그러나 거기엔 생각하지도 못했던 문제가 있었다. 바로 '코로나 19' 검사 결과가 필요한 것이었다. 코로나바이러스가 극심하던 시기였다. 그래서 그날은 노숙인지원센터에서 제공하는 여관에서 하룻밤을 지내게 되었는데 다음날은 휴일이라 검사소가 휴무였다. 하는 수 없이 하루를 더 보내고 시설 사회복지사님의 도움으로 검사를 받았고, 검사 결과가 음성으로 확인되어 시설에 입소하게 되었다.

나에겐 생각하지도 못했던 일이 이루어지고 있었다. 내 목숨까지 포기한 그 절망의 늪에서 나에게 손을 건넨 경찰관, 또 날 바로 지탱하고 다시 일어설 수 있게 물심양면으로 도와주신 노숙인 지원센터의 모든 직원,

사회복지사분들께 난 큰 빚을 지고 말았다. 지금, 이 순간도 그분들의 도움에 꼭 보답하리라 다짐하며 살고 있다.

그 보상이란 게 그분들의 뜻대로 한 인간으로서 사회에 적응하며 평범한 생활로 복귀하는 것이라 생각한다. 아직은 기대치에 부족하지만, 조금씩이라도 전진하고 있다는 것에 그나마 위안으로 삼는다. 꼭 이겨내서 그분들을 웃으며 만나고 싶다.

한 줌의 기억

손안에 있는 잘린 옷고름. 당시 네 살이었던 내 어릴 적 가을 어느 새벽의 일이었다. 반백 년이 지난 지금에도 아주 또렷이 기억하고 있는 모습.

엄마의 잘린 옷고름을 잡고 그저 울 수밖에 없었던 내 모습을 기억하며 그때로 돌아간 듯 코끝이 시려움을 느낀다. 왜일까? 아마도 두 살 때쯤 엄마와 생이별을 했었다 어른들의 사정으로 엄마와 아빠가 헤어지게 된 것이다. 그런 두 살짜리가 2년이 지난 어느 겨울날 아주 우연히 헤어진 엄마와 만난 것이다. 나중에서야 알게 된 사실이지만 엄마의 부탁으로 고모님 집에서 날 한 번만 보고 싶다고 해서 고모가 그 부탁을 들어준 것 같다. 그렇게 하룻밤을 엄마의 품속에서 행복해하던 조그만 꼬마의 손엔 사랑스러운 엄마의 옷고름만 남아 있었다. 그때의 감정을 지금도 어제의 일처럼 기억할 수 있다는 내가 조금은 원망스럽게 느껴진다. 잊고 싶은 생각이다. 하지만 잊히지 않는다.

사람이란 그런 것 같다. 자기 자신의 의지만으로 자기의 기억을 마음대로 지울 수 없는 것 같다. 내가 느끼던 그 시점, 상황에 따라 움직여지는 듯싶다. 충격이라고나 할까. 그 크기와 무게에 비례해서 남는 것과 사라져 버리는 것이 존재한다는 것을 새삼 느끼게 된다.

그래서 난 포기했다. 좋건 나쁘건 있는 그대로 간직하기로……

어찌 생각하면 마치 은행의 현금지급기에서 필요한 돈을 인출하듯이 그렇게 내 가슴속 깊은 곳에서 나의 오래된 기억들을 소환해서 내 지금 삶의 에너지로 사용한다면 그보다 더 좋을 순 없지 않겠는가.

꼬리에 꼬리를 물고 뛰쳐나오는 기억들. 정말이지 '희로애락'이 뒤범벅되어 내 머리를 스치고 지나가며 내 눈가에는 이슬을, 입가에는 미소를 만드는 중이다.

그렇다. 그건 사람마다 다소 차이는 있겠지만 하나의 생존 본능이라고나 할까. 자기가 절실히 필요한 것은 그 필요에 따라 저장하는 것 같다.

그래, 난 그렇게 살 것이다. 입가에 미소를 머금던, 눈가에 이슬을 맺히게 하던, 모든 걸 받아들이며 내 감정에 충실하게 내 지난날을 소환해가며 앞으로의 생활에 도움이 될 수 있게 활용해야겠다.

마치 은행 자동인출기에서 필요한 현금을 인출하듯 내 기억 속에서 추억을 인출해서 알차게 사용하는 멋진 사람이 되어야겠다. 나 혼자만의 생각이지만 말이다.

그런데 한가지 서운한 점은 영어 단어, 수학 공식은 왜 그리도 빨리 잊혀 가는 것일까?

인생이란

한여름으로 접어든 어느 날 아침. 후덥지근한 기분으로 목적지에 내려서 숲이 우거진 산길로 접어드는 순간 나는 형언할 수 없는 상쾌함을 느끼며 걷고 있었다. 좀전의 불쾌감과 상반되는 신선함, 아주 조금의 공간 차이가 이렇게 달리 느껴지다니, 믿기 어려운 일인 듯 싶다.

나는 걸으며 생각했다. 난 무엇을 위해 살고 있는가?

내 살아온 지난날들을 뒤돌아보면 후회스러움의 연속이었다. 목표를 정하고 그것에 도달하기 위해 최선을 다했는가 생각해봐도 나름대로 열심히는 한 것 같은데 모든 걸 걸고 최선을 다하진 못한 것 같다. 그로 인하여 지금도 후회를 하는 것이겠지. 그렇게 내가 바라는 것을 추구했지만 남은 건 깊은 회한만이라니 참 못났다. 스쳐 지나간 그 긴 세월의 징검다리 위에서 수많은 사랑과 행복을 못 보고 지나친 것 같다. 지금에 와서는 그 지나친 순간들이 나에겐 더없는 행복이었다는 것을 조금이나마 느끼고 있다.

만약 지나간 그 세월을 다시금 맞을 수 있다면 아주

사소하고 작은 것부터 제대로 느끼고 사랑하며 감사히 지내고 싶다. 허나 모두 지난 일이고, 또 그렇게 할 수 없음을 알기에 너무도 아깝고 아쉽게 느껴진다. 그럼 이 허탈한 마음을 어떻게 해야 하는가. 이런 생각을 하는 지금 이 순간부터라도 후회 없는 언어, 행동, 생각을 하며 살아야겠다고 다짐해본다.

우리에게는 아주 사소하지만 중요한 존재를 당연시하고 망각하며 지내는 사례가 너무도 많은 것 같다. 뭐라 명확히 설명할 수 없는 나 자신의 표현 능력이 원망스럽고 부끄러울 따름이다. 만족과 행복이란 이런 것 같다. 언젠가 신문의 칼럼에서 읽었던, 한 번쯤 생각하게 하는 글이 떠오른다. 어느 사회적 기부자가 자기가 도움을 준 사람에게 보낸 편지였다. 간단하게 얘기하자면 기부를 받은 젊은 친구가 기부자에게 뭔가 보답을 하거나 받은 은혜를 갚겠다고 하자 극구 만류한다. 만약 그렇게 되면 자기가 도리어 부담을 갖게 되고 또한 빚을 지게 된다는 것이었다. 기부자는 기부를 함과 동시에 보람과 행복함을 느꼈다고.

맞는 말인 듯싶다. 베풂이란 무엇을 바라는 것이 아니라고 생각된다. 베풂으로써의 행복을 느꼈기 때문이다. 우리의 인생사도 마찬가지라고 생각한다.

내 주위 모든 이들의 베풂. 또 자연의 소리 없는 나눔. 정말 행복을 느낄 수 있다. 행복은 자기 자신의 마음속에서 나온다고 한다.

최소한 나는 이렇게 살고 싶다.

모든 일에 감사하며 다른 이들과 동행하며 아픔과 기쁨을 느끼며 함께 어우러져 가고 싶다. 이런 생각을 잊지 않고 실천하며 반성하고 자중하며 또한 느끼며 살아가야겠다.

그 길이 편안한 길이 아닐지라도 난 그 길을 택하는데 망설임이 없을 것이다. 삶 속에 갈등은 좋은 것과 싫은 것의 양분법으로 나뉘는 듯싶다. 좋으면 미련과 기대가 따를 것이고 싫으면 미움과 원망이 깔려 있을 것이다. 또한, 이것은 내 가슴속에 있기에 먼저 나 자신을 다스리는 것이 최우선이라 하겠다.

열심히 사는 것도 중요하지만 사람답게 잘 살아야겠다.

나 자신을 비움으로……

사랑하는 이를 보내며-

위이이잉, 쪼로로록.

커피 자판기에서 따스한 밀크커피가 멋진 얼굴로 내 눈앞에 놓여 있다. 바로 그 순간 누군가 뒤에서 "저도 한 잔 주실래요?" 하는 조금은 당돌하지만, 애교가 섞인 여자의 목소리가 들려왔다. 뒤돌아보니 1년 후배인 여자아이였다.

오늘이 종강이라 느긋하게 커피 한잔하려던 중이었다. 그래 까짓거 커피 한잔을 빼서 후배에게 건네며 그냥 형식적인 말투로 긴 방학 기간 무엇을 할 것인가 물으니 그 후배는 크게 계획한 것은 없다고 대답했다. 그럼 방학 동안 잘 지내라고 말하고 돌아서는 순간 느닷없이 "제가 연락드려도 돼요?" 하고 묻는 게 아닌가. 그래서 난 무심히 그러라고 대답하고 그 애와 헤어져 집으로 왔다.

그리고 며칠 후 난 서대전역에 서 있었다. 7월 13일. 내가 왜 그곳에서 그 애에게 전화했는지 지금도 의문스럽다. 전화해서 무조건 서대전역으로 나오라고 하고 전화를 끊었다.

잠시 기다리다 보니 저 멀리서 뛰어오는 그 애가 보

였다. 혹시나 했지만 그래도 나와 준 그 애가 고맙게 느껴졌다. 마치 전부터 약속이라도 한 듯 조금의 어색함도 없이 우리는 호남선 열차를 타고 이리(지금의 익산)역에 도착했다. 그리고는 내가 가끔 찾던 CMB 라는 음악감상실에 가서 서로가 좋아하는 음악을 신청하고 이런저런 사소한 대화를 나누며 얼마간의 시간이 흐르고 다시 대전행 기차에 몸을 실었다. 대전에 도착해 헤어지기 섭섭해진 내가 그 애에게 저녁을 사겠다고 하니 흔쾌히 승낙해서 우리는 맛있게 저녁을 먹었다. 그렇게 내가 그 애를 집에 데려다주는 길에 갑자기 그 애는 고민이 있다고 하는 것이다. 나는 잠시 생각한 후에 걸음을 멈추고 뭐든 말해보라 하였고 그 애는 자기 첫사랑에 대한 상담, 아니 실연의 심정을 늘어놓는 것이었다. 난 조금은 어리둥절하다가 길가의 커피숍에 들어가 그 아이의 기나긴 하소연을 들어주었다.

그렇게 상담사가 아닌 상담사가 되어서 위로도 해주고 다독거려주는 상황에 이르게 되었다. 그 애는 내가 편했는지 자기 좀 잡아 달라고 하는 것이었다. 난 그 당시 같은 과 동기와 학생회 활동을 같이하며 상당히 친하게 지내는 중이었다. 물론 여자 동기다. 하지만 후배의 말도 무시할 수 없는 상황에서 내가 도와줄 수 있다면 내 힘이 미치는 곳까지 도와주겠다고 말했다. 우리가 헤어질 때 내 손에 귤 하나를 전해주는 후배에게 야릇한 기분을 느끼며 집으로 돌아왔다.

그리고 시간이 흘러 개강을 했고 학교의 일과 총학생회의 일 때문에 정신없이 보내고 있던 어느 주말, 그 후배가 나를 찾아왔다. 그러고는 다짜고짜 "선배님, 여행가요."하고 말했다. 그것도 1박 2일로 말이다.

바다가 보고 싶다고 했다. 손 한번 잡아보지 않은 여자 후배와 1박 2일 바닷가 여행이라니, 내 상식으론 좀 무리가 있는 것 같았다. 그러나 후배의 집요한 부탁으로 여행을 떠나기로 결정했다.

우리는 오후 5시쯤 해운대에 도착해서 먼저 숙소를 정하며 방 2개를 잡으려 했는데 주말이라서 방의 여유가 없다는 모텔 주인아주머니의 말을 듣고 망설이고 있을 때 주인아주머니가 웃으며 하는 말이 "잘 어울리는 애인 사이 같은데 그냥 같이 지내라"고 하였다. 하는 수 없이 방 하나를 잡고는 가져간 가방과 옷을 놓고 편안한 복장으로 갈아입고 해변으로 나와서 시원한 바닷바람을 쏘이며 걸어서 왼쪽 방파제 끝부분에 도달했다.

거기서부터 반대편까지 조그만 노점 포장마차가 즐비하게 늘어서 있었고 우리는 한집도 거르지 말고 소주 한 잔씩 마시며 가보자고 약속을 했고 곧 실행에 돌입했다. 나는 후배에게 술주정하면 그냥 떼어 놓고 숙소에 들어간다고 엄포를 놓고, 어림잡아 100여 곳 정도가 되었을 그 많은 노점상을 한집 한집 들러 계획을 실천했고 끝내 해내고야 말았다.

시계를 확인하니 자정이 다 되어 가는 시간이었다. 마지막으로 방파제에 앉아 바다를 실컷 즐기고 담배 하나를 피워 물며 이런저런 이야기를 나누었다. 그러다 물고 있던 담배로 내 운명을 점쳐 보기로 하고 10여 미터 이상 떨어진 드럼통으로 만든 휴지통에 꽁초를 던져 넣는 것을 해보았다.

운이 좋았던 것일까. 담배꽁초는 정확하게 휴지통 안으로 들어갔다. 그렇게 서로를 바라보며 한바탕 웃고는 기쁨 반 설렘 반으로 숙소로 돌아왔다. 그리고 보니 후배의 모습이 말이 아니었다. 약간은 취해 보였고, 하여튼 엉망이었다. 옷엔 모래가 묻어 있었다. 그래서 좀 닦고 와서 쉬라고 하니까 인사불성이 되어 그대로 침대에 쓰러져 버렸다. 그래서 모래 묻은 양말이라도 벗고 쉬라고 그 애 발을 만지는 순간 갑자기 벌떡 일어나서 혀가 꼬부라진 목소리로

"선배! 건드리지 마!"

하고는 다시 실신했다. 누가 뭐 어쨌다고, 기가 막힌 일이었다. 나 또한 몹시 피곤해서 소파에 누워 그대로 잠들고 말았다. 인기척에 잠에서 깨어나니 이미 아침이었다. 후배는 햄버거와 콜라를 사 들고 와 내 앞에 앉아 웃음 띤 얼굴로 내가 일어나기를 기다리고 있었다. 나는 그때의 그 아이 모습이 너무나 사랑스럽게 느껴졌다.

그 여행 이후 우린 학교에서도 모두가 인정하는 커

플이 되었다.

그 뒤 3년 후 학교를 졸업하고 30개월간의 군대 생활을 하는 동안 헤아릴 수도 없는 서로의 교감이 오고 갔으며, 제대 후 1년의 세월이 흐른 뒤 우린 교내 커플 1호로 결혼식을 올릴 수 있었다.

학창시절 존경하는 교수님이 주례를 맡아 주셨고 잘 따르던 후배가 사회를 보고 군대 생활 중 친했던 동기가 축가를 불렀다. 얼마 되지 않은 가족이지만 화목하고 다정한 모습으로 성공적인 예식을 치렀다.

그 후 수많은 사연을 남기며 결혼 생활을 했다. 아들과 딸이 연이어 태어나고 생활의 굴곡도 있었지만 나름 열심히 살아가려고 노력했다. 하지만 노력해도 안 되는 것이 있었다. 이런저런 이유로 생활은 점차 어려워져서 갔고 서로 합의로 이혼에 이르게 되었다. 이혼은 했지만, 한집에서 생활을 했었다. 여건이 좋아지면 다시 합치기로 하고 말이다. 어느 날 아내가 심각한 얼굴로 날 보자고 했다. 아이들이 한부모 가정을 신청하면 여러 가지 혜택이 있다고 하며 나보고 나가서 따로 생활하라고 하는 것이다. 난 반대했다. 하지만 아내의 한마디

"난 당신과 결혼해서 행복한 날이 단 하루도 없었어."

이 말을 듣는 순간 난 말문이 막히고 기가 막혀서 한동안 멍하니 있다가 아무 말 없이 간단하게 내 짐을

챙겨서 집을 나왔다.

그 이후 집사람과 연락은 단 한 번도 못 하고 있다. 그런지 벌써 10년이 넘어간다. 지금 와서 생각해보면 모진 세월이기도 했지만 난 결코 집사람을 원망하지는 않는다. 오히려 내 잘못으로 인하여 발생한 문제라고 생각하며 매일매일 반성하며 속죄하는 마음으로 살고 있다.

지금도 처음의 그 마음처럼 그 여인을 사랑한다. 나 없이도 행복해 주길 언제나 빌고 있고 항상 느낀다. 그 따스함을……

그래서 난 지금이 행복하고 만족한다. 내가 진정코 사랑했던 사람이 아직 같은 대전 하늘 아래 숨 쉬고 있어서 얼마나 다행인지 모른다.

아마도 난 그녀를 내 생이 끝나는 그 날까지 사랑할 것이다.

내 발이 되어줄 두 바퀴

세 살 때, 큰고모의 손에는 세발자전거가 있었다. 너무도 멋지고 예쁜 여러 가지 색의 술이 양 손잡이에서 바람에 나부끼고 있었다. 정말이지 너무나 좋아서 수없이 고개 숙여 인사하고 안장에 앉는 그 순간이 내 생에 처음으로 자전거에 올라탄 것이다.

그러고 보면 그때부터 내 자전거 사랑은 시작되고 있었다는 것을 느꼈다. 그 어린 시절 눈만 뜨면 자전거를 타고 어떤 때는 돌부리에 걸려 넘어져도 깨진 무릎과 상처 난 손은 신경도 안 쓰고 자전거만을 살피던 그 아이. 그로부터 시간이 흐르며 첫 자전거의 퇴장은 새로운 자전거의 구매로 이루어졌다. 근데 어찌 된 일인지 세 발에서 두 발이 아닌 네발로 바뀌어 있었다. 그건 옆 두 개의 보조 바퀴를 하나씩 떼어가며 두발자전거로의 진화가 시작된 것이다. 어찌 생각해보면 세 살 때의 자전거로부터 고등학교를 졸업할 때까지 내 장난감, 더 나아가서는 이동 수단으로서의 자전거는 나와 16년이란 시간을 줄기차게 함께한 것 같다. 당시는 행복했고 나름대로 자부심도 느낄 정도였다.

고등학교를 졸업하고 대학 생활, 군 생활, 제대 후 사회생활과 결혼 생활을 거치며 자전거는 서서히 멀어져 가고 있었다. 그러나 이상하리만큼 두 바퀴의 애정은 이어져 나가고 더 성숙해 있었다.

자전거와 이별 후 나에겐 모터바이크가 다가왔다. 환갑에 가까운 지금도 모터바이크에 대한 사랑은 식을 줄 모르고 타오르고 있음을 실감한다. 누군가가 나에게 자동차와 모터바이크 중에서 선택하라고 하면 나는 망설임 없이 모터바이크를 택할 것이다. 모터바이크는 자동차와 다르게 자유로움과 개방감을 느낄 수 있다. 그렇다고 도로를 무질서하게 누비는 폭주족은 아니다.

교통법규를 지키며 제대로만 탄다면 위험하지도 않고 아주 훌륭한 탈것이라고 생각한다. 아마도 난 앞으로도 내 몸이 허락하는 한 모터바이크에 올인 할 것이다. 요즘엔 여건이 안 돼서 못 타고 있지만, 항상 꿈꾸고 있다.

내가 지금 이동 수단으로 사용하는 모든 것이 나에게 모터바이크로 바뀌는 것을 꿈꾸며 또 그 꿈을 이루기 위해 부단히 노력하고 있다. 빠른 미래에 나는 내 바이크에 앉아 달리며 이 아름다운 세상을, 신선한 공기를 온몸으로 느낄 것이다.

기다려라, 내 바이크여……

다가올 팔순을 미리 겪어본다

스물. 나는 나의 모든 것이 성숙했다고 생각했다. 그 시기엔 한참 대학준비, 또 여자친구와의 일들이 세상의 전부라고 생각하고 나 잘난 맛에 날뛰던 때였다. 모든 게 자신 있고 만만해 보였다. 콧대는 높을 데로 높았고 고집도 황소고집이었다. 뭐든 머리부터 디밀던 철없는 젊은이였다. 조금의 불의도 지나쳐 넘기지 못했던 불같은 성격. 그땐 그래야만 된다고 생각했고 행동했다. 그러나 자신만만했던 대학입시부터 내 기를 죽이기 시작했다. 한없이 초라해진 내 모습을 인정할 수 없어서 애꿎은 술만 축내기도 했다.

남들이 20대에 할 수 있는 모든 것을 아쉬움 없이 느끼고 다 해본 것 같다. 그러나 그러한 모든 것이 부질없음을 지금에 와서야 느끼며 살며시 웃음 짓는다.

어느덧 여든. 해야 할 일들은 아직도 많은데 야속한 시간의 흐름이 서운할 뿐이다. 아이들은 장성했고 서로의 갈 길을 잘 가고 있는 것 같다. 손주 녀석들은 벌모레면 대학입시를 치른다고 야단들이다. 그저 자기들이 가고 싶은 곳. 하고 싶은 것을 마음껏 누리며 생활하기를 바라는 마음밖에 없다. 남들이 하는 거 생각 없이 따라 하다가는 아까운 세월만 낭비할 테니 말이다. 난 건강상태도 내 나이에 비해서 양호한 편이다. 무릎 관절이 별로였는데 환갑이 지나서 시작한 검도로 인해 많이 좋아진 것 같다. 벌써 19년 차가 되고 보니 정말 다행이고 나 자신이 대견하게 느껴진다. 동네 친구들처럼 삼삼오오 모여 다니며 쓸데없이 시간을 보내지도 않고, 하고 싶은 것 마음껏 누리며 봉사 활동도 틈틈이 하면서 또 내가 좋아하는 라이딩을 즐기며 아날로그 필름 카메라로 자연의 아름다운 풍경을 담으며 지내느라 얼마나 바쁘고 행복한지 모르겠다. 이런 생활을 얼마나 더 지속할지는 모르지만, 최선을 다해서 삶을 느끼며 살아보련다.

오늘이 내 생에 마지막 날이라 생각하며 후회 없이 사랑하고 베풀고 바쁜 일상을 맞이하는 게 내 행복이다. 내 생이 끝나는 날 먼저 가신 할아버지, 할머니, 아버지, 어머니 그분들을 만날 수 있을 테니 어느 시인의 '소풍'이란 시처럼 정말 뜻깊게 재미있게 사랑하고 행복하게 잘 놀다 왔다고 말하고 싶다. 이제 후회는 없다. 남은 내 생이 얼마인지는 몰라도 내가 추구하는 것을 계속해서 노력하며 마지막 그날을 맞이할 것이다.

행복하다. 그리고 감사하다. 모든 일상에 대해서……

에필로그

시작하고 싶다

영화가 끝나고 불이 켜지고 모두 자리에서 일어나 각자의 생각대로 자기의 갈 길을 찾아 떠나는 모습이 사뭇 야릇하게 느껴진다.

모든 것에는 끝이 존재한다는 것을 느끼게 한다. 어떤 형태의 일이건 간에 끝이 좋아야 한다고 생각한다. 어차피 끝을 보는 거라면 보람 있고 아름답게 자부심을 느끼며 끝을 맞이하고 싶다. 그래야만 새로운 시작을 두려움이 아닌 설렘과 기대로 맞이할 수 있을 테니 말이다.

또 달리 생각하면 정말이지 잊고 싶었던 일이 끝이라면 다가올 시작의 의미가 더 깊게 다가올 것이다. 세상사 모든 일이 시작이 있으면 끝이 있듯이 난 부정하고 싶지 않다. 그 끝이 보잘것없고 후회투성이더라도 그것이 나라고 생각한다. 만약 끝이 안 좋았으면 그걸 인정하고 다시금 그와 비슷한 상황에 노출된다면 나름대로 최선을 다하는 사람이 되고 싶다. 또한 새로운 시작을 맞으며 막연함과 두려움보다는 잘 해내겠다는 자세로 모든 일을 긍정적으로 맞이하련다.

세상살이가 그렇지 싶다. 자기 자신에게 조용한 암시를 쉴 새 없이 되뇔 때 아름답고 소중하고 따뜻한 마음과 진심의 간절함 속에서 그것들은 현실이 되리라 믿는다. 어쩌면 세상을 너무 편하고 쉽게 생각한다고 지적할 수도 있을 것이다. 하지만 자신의 긍정적인 꿈과 희망이 없다면 아무것도 남지 않은 삶을 살게 될 것이고 멀지 않아 느끼게 될 것이다.

　후회는 아무리 빨라도 늦는다고 한다. 그 새로운 시작은 끝에 너무 집착하지 말고 앞만 보고 달려가야 아니, 달리지 못하더라도 쉼 없이 걸어야 할 것이다. 그렇게 한 걸음 한 걸음 내 닫을 때마다 나에게 좀 더 발전되고 성숙한 인생의 한 페이지가 메꾸어져 나간다고 확신한다.

　꾸준히, 성실히 가다 보면 언젠가는 불현듯 그 끝에 도착해 있을 것이고 그 속에서 이룸의 희열을 느낄 것이다.

　지금 당장은 힘겹고 고달플지 모르지만, 이 또한 언젠가는 지나가리라 믿어 의심치 않는다. 안 좋은 끝에 두려워 말고 새로운 시작을 기대해 봄이 어떨까?

그래서 모든 사람은 살아볼 만한 것이라 얘기한다. 어제의 내가 모자랐다면 지금 현실의 나도 그와 같다고 생각하면 모든 일이 어려워질 것이다. 허나 우린 매일 매일 매 순간마다 조금씩 변하고 있다.

누가 확신할 수 있는가? 우리의 미래를.

그저 가련다. 후회 없는 삶을. 나 자신을 위하여.

글을 마치며

여름이 가득한 마당 귀퉁이에 나란히 보랏빛 꽃을 피운 맥문동과 그 잎 위에 고요히 자리 잡은 매미 허물을 봅니다.

발끝 하나까지 오롯이 제 몸을 갖췄지만, 허물입니다.

허상처럼
속이 텅 비었습니다. 이 허물을 만드느라 그 오랜 세월 땅속에서 세상에 나오기 위해 지난한 시간을 기다렸을 매미.

단단한 어른이 되기 위해 우리는 힘겨운 시절을 살아왔고, 어른의 자리를 제대로 지키고자 하루하루 애써왔는데 어느 날 문득,
매미 허물 같은 자신을 발견하고는 깜짝 놀랍니다.

그러나 슬퍼하지 마십시오.

어느 순간
사방에 자지러지듯 여름을 고하는 매미 울음소리가 가득합니다. 허물 벗은 매미는 완전한 모습으로 지금 세상을 향해 소리칩니다. 끝인 줄 알았던 인생이 새롭게 시작되는 순간입니다.

자신에게 주어진 기회의 시간에 더 이상 미련이 없을 만큼 거침없이 외칩니다. 나 여기 있다고, 나의 생은 계속되고 있다고.

어쩌면 인생을 살아간다는 것은 하늘에서 유배되어 살아가는 고난의 삶입니다. 그 고통의 길을 조금 더 고통받으며 살아 낸 그들이 있습니다.

삶의 벼랑 끝에 서 본 사람은 압니다.
내 어깨 깊은 곳에 숨어 있던 하얀 날개가
넓게 펄럭일 준비를 하고 있다는 것을.

절망의 끝에 서야 보이는 희망이라니.

여기
허물 같은 노숙인의 삶에서
힘든 시간을 이겨내고 제 모습을 갖춘 매미처럼,
따가운 여름 햇볕 사이로 제 목소리로 크게 외치고자
펜을 든 네 명의 작가가 있습니다. 자신의 이야기를 꺼
내어 놓기란 참 어려운 일입니다. 그 쉽지 않았을 선택
을 하고 열심히 글을 써 주신 네 분의 작가님께 감사
를 드립니다.

나의 특별한 네 분의 작가님들은
세상 풍파에 흔들리는 수많은 풀잎 사이에서
꿈꾸는 네 잎 클로버의 모습으로 온 힘을 다해 거친
바람을 견디어내고 있습니다.

투명하게 자신들의 아픈 삶을 드러내고, 다시 행복을
꿈꾸는 네 분의 작가님의 네 잎 클로버 같은 희망의
글을 따뜻한 마음으로 읽어주시고 응원해주시길 바랍
니다.

꿈꾸는 당신은 아름답습니다.

2024년 깊어가는 여름
작가 최상희